... *Si vous avez aimé les livres de James Herriot, vous aimerez* Bouillon de poulet pour l'âme de l'ami des bêtes.

JAMES WIGHT, vétérinaire et fils de James Herriot

Les histoires de Bouillon de poulet pour l'âme de l'ami des bêtes *sont fortes, réconfortantes et pleines de vie. Chacune d'elles me parle de l'amour spécial que nous partageons avec nos bêtes. Mon chien Sheldon et moi avons particulièrement aimé ce livre.*

STEPHEN R. COVEY, auteur

L'amour est le mystère le plus profond de nos relations avec l'univers. Bouillon de poulet pour l'âme de l'ami des bêtes *parle de ce mystère. Il provient des recoins les plus profonds de notre cœur, d'où il émane directement. Ce livre est une joyeuse expérience.*

ROGER A. CARAS, auteur

Merci de rendre hommage à certains de nos amis les plus importants sur terre, nos animaux de compagnie. Bouillon de poulet pour l'âme de l'ami des bêtes *illustre de façon éclatante à quel point ils enrichissent nos vies de toutes les manières possibles. Je n'ai pu fermer ce livre. Vous l'adorerez!*

MONTY ROBERTS, auteur

Propriétaire et ami des bêtes, je reconnais leur contribution importante à notre sentiment de bien-être et à quel point nous les aimons. Bouillon de poulet pour l'âme de l'ami des bêtes *rend un hommage parfait à la relation spéciale que nous avons avec nos animaux de compagnie.*

LEEZA GIBBONS, productrice et animatrice

... *Trois choses m'ont soutenu aux meilleurs et pires moments de ma vie: les chiens, les chats et le bouillon de poulet. Ces trois bouées de sauvetage sont maintenant réunies dans cette collection d'histoires touchantes qui parlent du rôle unique de nos chères bêtes dans notre vie. Ayez un mouchoir à portée de la main, vous en aurez besoin.*

MORDECAI SIEGAL, auteur

La meilleure collection d'histoires pour réchauffer le cœur, vécues et écrites par des gens qui ont aimé et ont été aimés par un animal de compagnie.

PHYLLIS LEVY, chroniqueuse

Bouillon de poulet pour l'âme de l'ami des bêtes *vous aidera à guérir, à être heureux et à vous sentir inspirés, et même à sauver le monde par le seul moyen qui rend les miracles possible: le partage du sentiment d'espoir et d'amour qui unit toutes choses vivantes.*

MICHAEL CAPUZZO, auteur et chroniqueur

Enfin un livre que je peux lire à mes chiens! Sérieusement, Bouillon de poulet pour l'âme de l'ami des bêtes *est un livre merveilleux – chaque histoire est un bijou!*

MATHILDE DE CAGNEY, dresseuse de chiens

Ces histoires rendent bien l'essence même du merveilleux lien qui existe entre les bêtes et leurs humains. Tout ami des bêtes devrait se procurer ce livre!

JEFF WERBER, D.M.V., animateur

Toute ma vie, j'ai aimé les animaux. J'ai rarement vu quelque chose d'aussi spécial que les histoires de ce livre. Si vous avez déjà connu l'amour généreux d'un animal de compagnie, vous adorerez ces histoires.

GINA SPADAFORI, auteur

Lisez deux histoires et vous vous sentirez mieux demain matin. Votre âme sera réconfortée par ces histoires vécues!

STEVE DALE, chroniqueur et animateur

Bravo! Bouillon de poulet pour l'âme de l'ami des bêtes *est réconfortant et délicieux.*

BEA ARTHUR, comédienne

Bouillon de Poulet pour l'âme de l'*ami des bêtes*

Série
« Bouillon de poulet pour l'âme »

Publications récentes

*Un **1er** bol de Bouillon de poulet pour l'âme*
*Un **2e** bol de Bouillon de poulet pour l'âme*
*Un **3e** bol de Bouillon de poulet pour l'âme*
*Bouillon de poulet pour l'âme de la **femme***
*Un **concentré** de Bouillon de poulet pour l'âme*
*Bouillon de poulet pour l'âme des **ados***
*Bouillon de poulet pour l'âme d'une **mère***
*Bouillon de poulet pour l'âme des **chrétiens***
*Une **tasse** de Bouillon de poulet pour l'âme*
*Bouillon de poulet pour l'âme **au travail***
*Bouillon de poulet pour l'âme de l'**ami des bêtes***

Prochaines parutions

*Un **4e** bol de Bouillon de poulet pour l'âme*
*Bouillon de poulet pour l'âme des **golfeurs***
*Bouillon de poulet pour l'âme de l'**enfant***

Projets

*Bouillon de poulet pour l'âme des **couples***
*Un **5e** bol de Bouillon de poulet pour l'âme*
*Bouillon de poulet pour l'âme des **survivants***
*Bouillon de poulet pour l'âme des **célibataires***

Jack Canfield
Mark Victor Hansen
Marty Becker, D.M.V.
Carol Kline

Des histoires de bêtes
qui enseignent et guérissent,
qui sont des héros et des amis

Traduit par Fernand A. Leclerc et
Lise B. Payette

SCIENCES ET *CULTURE*
Montréal, Canada

L'édition originale de cet ouvrage a été publiée sous le titre
CHICKEN SOUP FOR THE PET LOVER'S SOUL
Stories About Pets as Teachers, Healers,
Heroes and Friends

Publié en accord avec Health Communications, Inc.
Deerfield Beach, Floride (É.-U.)
ISBN 1-55874-571-8

Réalisation de la couverture: ZAPP

Dépôt légal: 4e trimestre 1999
Bibliothèque nationale du Québec
Bibliothèque nationale du Canada

ISBN 2-89092-254-5

Éditions Sciences et Culture
5090, rue de Bellechasse
Montréal (Québec) Canada H1T 2A2
(514) 253-0403 Fax: (514) 256-5078
Internet: http://www.sciences-culture.qc.ca
E-mail: admin@sciences-culture.qc.ca

Nous reconnaissons l'aide financière du gouvernement du Canada par l'entremise du Programme d'Aide au Développement de l'Industrie de l'Édition pour nos activités d'édition.

IMPRIMÉ AU Canada

Table des matières

8. Bêtcetera

Les citations

Pour chacune des citations contenues dans cet ouvrage, nous avons fait une traduction libre de l'anglais au français. Nous pensons avoir réussi à rendre le plus précisément possible l'idée d'origine de chacun des auteurs cités.

Ce livre est dédié avec amour aux millions de personnes dévouées et attentionnées qui aiment les bêtes et à **tous** les animaux qui partagent la terre avec nous, particulièrement les animaux domestiques qui nous enseignent l'amour total et inconditionnel.

Nous dédions aussi ce livre à tous les vétérinaires et aux membres de leurs équipes dont le grand cœur et le service dévoué et compatissant nous rendent particulièrement fiers de leur rendre hommage et de leur donner notre appui.

À notre héros, James Herriot, vétérinaire du Yorkshire, qui a ému les cœurs de millions de personnes et a changé pour toujours la manière dont nous concevons les relations spéciales entre le genre humain et le reste du monde animal. Puisse son étoile toujours briller de tous ses feux!

Enfin, à Dieu, source de toutes les grâces, dont la main aimante se manifeste à chaque jour à travers nos bêtes, qui sont nos anges, nos amis, nos professeurs et nos guérisseurs.

Remerciements

La réalisation de ce livre a demandé l'aide dévouée et passionnée de nos familles, de nos amis, du personnel, de nos associés, de personnalités et de héros obscurs.

D'abord, un énorme merci à nos familles!

À la femme de Jack, Georgia, et à son fils, Christopher, qui, au milieu de la pression des semaines précédant la fin de la préparation d'un livre comme celui-ci, nous ont constamment rappelé de ralentir, de respirer le parfum des roses, de jouer avec Daisy, de nourrir les poissons et de flatter les chats. À la mère de Jack, Ellen, qui lui a transmis l'amour de toutes les créatures, grosses ou petites, et dont le beau-père, Fred, a dû travailler si fort pour les acheter, les loger et les nourrir, qu'il s'agisse d'animaux de race ou des nombreux errants qui ne manquaient pas de se présenter à leur porte.

À la femme de Mark, Patty, qui a plus d'amour pour les animaux que presque tous les gens que nous connaissons au monde. À sa fille Elisabeth, qui dit souvent qu'elle deviendra chiropraticienne pour animaux, et à sa fille Mélanie, qui a décidé qu'une de ses missions dans la vie serait de sauver les éléphants de la planète.

À la femme bien-aimée de Marty, Teresa, et à ses adorables enfants, Mikkel et Lex. Ce livre n'aurait pas pu être écrit, et nos efforts seraient restés vains sans leur amour débordant, leurs rires et leur vitalité. À Virginia Becker et au regretté Bob Becker, qui ont appris à Marty à aimer, honorer et servir toutes les créatures de Dieu, de façon visible et entière. À Valdie, Jim et Rockey Burkholder, dont la bonté, la sérénité et l'encouragement ont permis à Marty de grandir dans une oasis de beauté, de simplicité et de bonté.

Au mari de Carol, Larry, pour son amour aussi profond que durable et son soutien de tous les instants. Et à ses enfants adoptifs, Lorin et McKenna, pour avoir contribué et fait ce qu'il fallait à la maison pour permettre la création de ce livre. Vous êtes des champions! Votre amour et votre appui nous sont très précieux. Votre patience et votre enthousiasme sans borne sont grandement appréciés.

Un merci tout spécial à Marci Shimoff pour son appui incroyable et son encouragement généreux tout au long de la gestation de ce livre. Ton amitié est un cadeau. Nous t'aimons, Marci!

Nos remerciements reconnaissants vont à Heather McNamara, notre éditrice principale, qui a travaillé si fort pour rendre ce livre possible et qui a été un rouage important à chacune des étapes.

Merci à Nancy Mitchell pour son efficacité incroyable à obtenir toutes les permissions nécessaires et pour avoir su coordonner tous les aspects de ce livre.

Merci à Patty Aubery, qui a supervisé toute la production avec chaleur, humour et compétence. Tu es étonnante.

Kimberly Kirberger, notre éditrice en chef, pour avoir lu et commenté les différentes versions du manuscrit. Ro Miller pour s'être occupé de la correspondance et des communications téléphoniques avec nos nombreux collaborateurs (et pour avoir partagé avec nous l'histoire des folles fêtes d'anniversaire qu'elle a organisées pour son chien, Clay-boy).

À Veronica Romero, Leslie Forbes, Lisa Williams, Laurie Hartman et Teresa Esparza, pour avoir assuré la permanence pendant que nous étions concentrés sur la rédaction et la révision.

À Linn Thomas, Carole Kasel, Bonnie Dodge et J.J. Aanest, qui ont aidé Marty à solliciter et recueillir des histoires et qui ont répondu aux milliers d'appels téléphoniques, lettres, télécopies et courriers électroniques.

À Judy Palma, une véritable amie des bêtes, qui a lu chaque histoire et nous a donné ses commentaires avec amour.

À David Sykes, directeur de la Noah's Ark Foundation, pour son dévouement attentionné et sans limite à recueillir les animaux et pour son appui sincère à ce projet.

À Jennifer Read Hawthorne, pour son réconfort et ses conseils dans les moments cruciaux. Ils nous ont été précieux.

À Fred C. Angelis, le beau-père de Jack, pour avoir lu et commenté chaque histoire contenue dans ce livre. Vos commentaires sont inestimables.

À Tami Wells, D.M.V., pour son aide à titre de consultante externe.

À Sharon Linnea et Ann Reeves, pour leur aide aussi précieuse qu'opportune pendant la révision.

À nos partenaires du milieu, Bayer Animal Health et Iams Pet Nutrition, qui ont appuyé ce livre – d'abord comme amis des bêtes, puis comme entreprises qui, depuis nombre d'années, ont consacré d'incroyables ressources, tant personnelles que professionnelles, pour aider les animaux de compagnie à vivre mieux, plus heureux et en meilleure santé. Nous aimerions parler en particulier de John Payne, de Bayer, et de John Talmadge, D.M.V., et Rich Kocon, de The Iams Company, qui méritent une mention spéciale. Ce sont de bons amis, de bons régisseurs des ressources dont ils ont la charge et de bons guides dans les rapports avec les animaux familiers.

Il y a aussi les gens qui ont appuyé avec enthousiasme nos efforts dans la collecte des histoires qui constituent ce livre. Nous désirons remercier les magazines *Dog Fancy, Veterinary Economics* et *PetLife*. Un merci tout spécial à Lucille Deview, du *Orange County Register*, qui connaît l'importance des bêtes pour les personnes âgées et qui a publié une annonce dans sa chronique syndicale pour proposer des histoires.

Merci à tous ceux qui ont accepté de consacrer quelques semaines à évaluer, commenter et améliorer les histoires que vous lirez ici. Nous leur devons la qualité de ce livre. Notre panel de lecteurs incluait Judy Palma, Fred C. Angelis, Virginia Becker, Elizabeth Brown, Patty Burlingame, Valdie Burkholder, Diana Chapman, Joanne Clevenger, Robin Downing, D.M.V., Lisa Drucker, Pam Finger, Mary Gagnon, Sally Gavre, Karyn Gavzer, Suzanne Giraudeau, Nancy Richard Guilford, Elinor Hall, Allison Janse, Rita M. Kline, Robin Kotok, Hale et Dolores Kuhlman, Roger Kuhn, D.M.V., Nancy Leahy, M. B. Leininger, D.M.V., Wendy S. Myers, Holly Moore, Ann Reeves, Karen Robert, Maida Rogerson, Marci Shimoff, Annie Slawik, Laura May Story, CVT, Carolyn Teale, Anne Tremblay, Susan B. Tyler, Hilda Villaverde, Elizabeth Walker, Celeste Wallace, Patricia Wallis, Dottie Walters, Wendy Warburton, Luree Welch, Diana ainsi que Ted Wentworth, Terry Wilson et Rachel Zurer.

À tous ces gens chez notre éditeur, Health Communications, Inc. – en particulier Peter Vegso et Gary Seidler – qui ont cru en ce livre dès qu'on leur a proposé, et qui l'ont mis entre les mains de millions de lecteurs.

À Christine Belleris, Matthew Diener, Allison Janse et Lisa Drucker, nos éditeurs chez Health Communications, et Randee Goldsmith, notre chef de produit des *Bouillon de poulet pour l'âme*. Ils ont toujours été là pour nous appuyer et nous encourager tout au long du chemin.

À nos publicistes incroyablement créatifs et efficaces, Kim Weiss et Ronni O'Brien.

À Claude Choquette qui, année après année, réussit toujours à faire traduire nos livres dans plus de 33 langues à travers le monde.

À Anna Kanson de *Guideposts* et Taryn Phillips de *Woman's World*. Merci de votre appui soutenu à chacun de nos projets.

Aux collègues vétérinaires de Marty, de partout au monde, qui ont aidé à mettre en lumière l'inviolable et précieux lien des animaux avec la famille: R.K. Anderson, Scott Campbell, Rich Ford, Ray Glick, Bob Kibble, Mary Beth Leineinger, Brad Swift, Chuck Wayner et James Wight, pour n'en nommer que quelques-uns.

Nous voulons reconnaître de façon spéciale le père du lien humains-animaux, Leo Bustad, qui a guidé Marty et plusieurs autres dans leurs carrières alors qu'ils se consacraient à ce qui était le plus important.

À d'autres collègues, non vétérinaires, qui nous ont inspirés ou ont touché notre vie d'une manière spéciale: Ron Butler, Ben Coe, Don Dooley, Bill Mason, Clay et Mary Mathile, Susan Morgenthaler, Jana Murphy, Anne Sellaro, Gina Spadafori, Becky Turner-Chapman et plusieurs autres. Ils ont contribué directement et de façon importante au succès de ce livre et des causes qu'il défend.

Nous voulons aussi remercier les 3 000 personnes et plus qui ont pris le temps de nous soumettre des histoires, des poèmes ou d'autres œuvres. Si toutes les histoires que nous avons reçues étaient spéciales, à notre grande tristesse, les contraintes d'espace nous ont obligés à en exclure une majorité.

Ce projet était si grand que nous avons probablement oublié certaines personnes qui nous ont apporté leur aide en cours de route. Si c'était le cas, nous nous en excusons. Sachez que nous vous apprécions vraiment tous.

Nous sommes sincèrement reconnaissants de tous ces bras et de tous ces cœurs qui ont rendu ce livre possible.

Recevez tous notre amour et notre appréciation!

Introduction

Nous sommes ravis de partager un cadeau bien spécial avec vous: *Bouillon de poulet pour l'âme de l'ami des bêtes*. Ces histoires ont été choisies pour vous donner une appréciation plus grande et plus riche du monde animal et des bêtes qui partagent nos vies. Chacune des milliers d'histoires que nous avons reçues pour publication éventuelle dans notre livre était un cadeau. Le choix a été difficile mais les histoires qui ont été retenues pour *Bouillon de poulet pour l'âme de l'ami des bêtes* illustrent de façon vivante comment une relation d'amour et d'interdépendance avec une bête enrichit la vie.

Les nombreuses histoires qui mettent en lumière l'amour immense qui coule si abondamment entre une bête et son maître nous ont émus. En retour de nos soins, nos précieuses bêtes nous donnent leur amour inconditionnel, une affection apparemment sans limite et une loyauté « à la vie, à la mort». Ils nous aiment, ont confiance en nous et nous accueillent toujours avec un enthousiasme débordant, peu importent les circonstances.

En lisant ces histoires, nous avons remarqué qu'il s'en dégageait des thèmes précis. Le premier et le plus fort: de nos jours, les bêtes font partie de la famille ! La plupart des propriétaires de bêtes considèrent leurs animaux de compagnie comme des membres de la famille, et parfois même comme leurs enfants. Le lien qui unit la famille et la bête est vraiment très fort ! Il nous est aussi apparu clairement que les bêtes offrent aux humains plus que de la compagnie. Pour certaines personnes, avoir à s'occuper d'un animal donne un sens à leur vie : une raison de se lever le matin, une raison de rentrer à la maison le soir. Les bêtes comblent notre soif réelle et sans fin d'aimer et d'être aimé – et le besoin de nous sentir utiles.

Plusieurs des histoires que nous avons reçues illustraient l'influence salutaire que les bêtes exercent sur leur maître. Les bêtes nous sortent de notre isolement et vont chercher nos meilleures impulsions humaines. Elles nous branchent sur la nature et le reste du royaume animal, nous rendent plus conscients des mystères de Dieu, présents en toutes choses. Grâce à nos animaux, nous libérons une partie plus intime de nous-mêmes – plus compatissante, moins arrogante, moins pressée. Cette partie de nous qui est disposée à partager pleinement notre vie avec d'autres êtres. Lorsque cela se produit, nous connaissons une forme de bonheur plus vraie, plus entière et plus simple.

Nous avons aussi reçu plusieurs histoires racontant comment un animal pouvait réconforter et même guérir. Nos animaux contribuent à réduire la fréquence de la maladie et à accélérer notre guérison. Dans l'ensemble, la preuve est irréfutable: les animaux font du bien à notre cœur, à notre corps et à notre âme.

Après la lecture de ces histoires, vous serez peut-être bercés par le souvenir d'un animal bien-aimé. Nous souhaitons aussi changer votre point de vue sur les animaux familiers qui vous incitera à l'action: les aimer inconditionnellement et apprécier les petits cadeaux qu'ils apportent dans votre vie. Si vous n'avez pas d'animal, ces histoires vous inciteront peut-être à vous rendre au refuge local pour adopter un animal qui a besoin de votre amour; il vous le rendra au centuple. Ou encore, si vous ne pouvez adopter un animal, vous pouvez leur rendre la vie plus belle en vous portant volontaire, même si ce n'est qu'une heure par semaine, pour les faire marcher, les nourrir, les nettoyer ou simplement pour aimer les animaux abandonnés de votre refuge local.

Nous souhaitons que ce livre ait un impact positif sur la vie de millions d'animaux et de personnes sur terre.

1

L'AMOUR

L'amour est création de Dieu,
tant dans son ensemble
que dans sa plus petite partie.
Aimez chaque feuille,
chaque rayon de la lumière de Dieu.
Aimez les animaux, aimez les plantes, aimez tout.
Si vous aimez tout,
vous sentirez le divin mystère dans les choses.
Lorsque vous l'aurez ressenti,
vous le comprendrez de mieux en mieux,
jour après jour.
Vous en viendrez enfin à aimer le monde entier
d'un amour universel.

Fyodor Dostoyevsky

Un cadeau de Noël posthume

Stella était préparée au décès de son mari. Depuis que le médecin avait diagnostiqué un cancer en phase terminale, ils avaient tous deux fait face à l'inévitable, tentant de tirer le meilleur parti du temps qui leur restait ensemble. Les affaires de Dave avaient toujours été bien réglées. Aucun nouveau fardeau n'est venu aggraver son veuvage. Si ce n'est cette affreuse solitude… l'absence de raison de vivre.

Ils avaient choisi de ne pas avoir d'enfants. Leur vie avait été riche et active. Ils s'étaient contentés de carrières bien remplies et ils se suffisaient l'un à l'autre. Ils avaient eu de nombreux amis. Avaient eu était l'expression juste depuis quelque temps. En plus de voir disparaître la personne qu'on aime le plus, Dave et elle avaient dû, au cours des dernières années, faire face à plusieurs reprises aux décès de leurs amis et parents. Ils avaient tous atteint l'âge où le corps s'étiole. Meurt. Il n'y avait pas de doute, ils étaient vieux!

Et voilà qu'arrivait le premier Noël sans Dave. Elle sentait bien sa solitude.

De ses doigts tremblants, elle baissa le volume de la radio jusqu'à ce que les airs de Noël ne deviennent qu'un bruit de fond. À sa grande surprise, elle remarqua que la poste était arrivée. Crispée de douleur à cause de son arthrite, elle ramassa les enveloppes blanches sur le sol. Assise sur le banc du piano, elle les ouvrit. La plupart contenaient des cartes de Noël et ses yeux tristes marquèrent un petit sourire en reconnaissant les scènes traditionnelles et les bons vœux qu'elles contenaient. Elle les plaça avec les autres sur le piano. C'étaient les seules décorations des Fêtes dans toute la maison. Noël serait là dans moins d'une semaine, mais elle n'avait pas le cœur à installer cet arbre stupide, ni même à monter la petite crèche que Dave avait construite de ses mains.

Soudain, envahie par toute cette solitude, Stella enfouit son visage dans ses mains et laissa monter les larmes. Comment ferait-elle pour traverser Noël et l'hiver qui suivrait?

La sonnerie inattendue de la porte lui fit réprimer un petit cri de surprise. Qui pouvait bien venir la voir? Elle ouvrit la porte de bois et regarda avec étonnement par la fenêtre de la double porte. Il y avait là un jeune homme dont la tête dépassait à peine derrière la grosse boîte qu'il tenait. Elle regarda derrière lui dans l'allée, mais la petite auto ne lui apprit rien sur son identité. Prenant son courage à deux mains, la vieille dame entrouvrit la porte. Il fit un pas de côté pour parler par l'entrebâillement.

«Mme Thornhope?»

Elle acquiesça. Il poursuivit: «Un paquet pour vous.»

La curiosité lui fit oublier la prudence. Elle ouvrit la porte et il entra. Souriant, il déposa son fardeau avec soin sur le sol et se redressa pour prendre une enveloppe qui dépassait de sa poche. Au moment où il la lui remettait, un son sortit de la boîte. Stella sursauta. Le jeune homme rit en s'excusant, se pencha, entrouvrit la boîte pour lui permettre de voir à l'intérieur.

C'était un chien! Plus précisément, un chiot Labrador Golden Retriever. En prenant le corps gigotant dans ses bras, il expliqua: «C'est pour vous, madame.» Le chiot tressaillait de plaisir d'être libéré de sa prison et tentait de lécher la figure du jeune homme. «Nous devions le livrer la veille de Noël », expliqua-t-il difficilement, en tentant d'éviter la petite langue humide, « mais le personnel du chenil tombe en vacances demain. J'espère que vous n'avez pas d'objection à recevoir un cadeau avant le temps.»

Le choc empêchait Stella de penser. «Mais... je... je veux dire... qui ...?»

Le jeune homme déposa l'animal sur le tapis entre eux et montra l'enveloppe qu'elle tenait.

«Il y a là une lettre qui explique tout. Le chien a été acheté pendant la grossesse de sa mère. C'était un cadeau de Noël.»

L'étranger se retourna pour partir. Le désespoir la força à dire: «Mais qui... qui l'a acheté?»

Il s'arrêta dans l'entrée et répondit: «Votre mari, madame.» Puis, il partit.

Tout était expliqué dans la lettre. Oubliant le chiot à la vue de l'écriture familière, Stella se dirigea comme une somnambule vers son fauteuil près de la fenêtre. Les yeux pleins d'eau, elle se força à lire les mots de son mari. Il avait écrit la lettre trois semaines avant sa mort et l'avait laissée aux propriétaires du chenil pour qu'elle lui soit livrée avec le chiot comme dernier cadeau de Noël de sa part. La lettre était pleine d'amour et l'encourageait à être forte. Il faisait vœu d'attendre le jour où elle le rejoindrait. Et il lui avait envoyé ce jeune animal pour lui tenir compagnie jusqu'à ce moment.

Se souvenant soudain de la petite créature, elle fut surprise de la voir calmement la regarder, sa petite bouche haletante ressemblant à un sourire comique. Stella déposa les feuilles et tendit la main vers le petit amas de poils dorés. Elle avait pensé qu'il serait plus pesant, mais il n'était pas plus gros ni plus lourd qu'un coussin. Si doux et si chaud. Elle le serra dans ses bras et il lui lécha la mâchoire avant de se lover dans le creux de son cou. Cet échange d'affection lui mit la larme à l'œil, mais le chien la laissa pleurer sans bouger.

Finalement, Stella le déposa sur ses genoux et elle le regarda sérieusement. Elle essuya ses larmes et réussit à sourire.

«Eh bien, mon petit, nous sommes là l'un pour l'autre.» Sa petite langue rose haleta un acquiescement. Le sourire de Stella s'épanouit et elle regarda par la fenêtre. La nuit tombait. À travers les flocons qui avaient commencé à tomber, elle pouvait voir les joyeuses lumières de Noël qui ornaient les maisons des voisins. Des accents de *Joy to the World* lui arrivaient de la cuisine.

Soudain, Stella se sentit envahie par un étrange sentiment de paix et de sérénité. Comme si elle avait été enveloppée d'une étreinte amoureuse. Son cœur s'affolait, mais c'était de joie et d'étonnement et non de peine et de solitude. Elle ne serait plus jamais seule.

Reportant son attention vers le chien, elle lui dit: «Tu sais, petit, il y a une boîte au sous-sol. Je crois que tu l'aimeras. Il y a un arbre dedans, des décorations et des lumières qui t'impressionneront vivement! Je crois bien que je pourrais même trouver cette vieille crèche. Allons les chercher, d'accord?»

Le petit chien aboya son accord comme s'il avait compris chaque mot. Stella se leva, déposa le chiot par terre et, ensemble, ils se dirigèrent vers le sous-sol, prêts à fêter Noël ensemble.

Cathy Miller

Becky et le loup

Son nom n'est plus chien errant, mais grand ami,
car il sera toujours, toujours, toujours notre ami.

Rudyard Kipling

Comme ses grands frères et sœurs étaient à l'école, notre petite fille Becky, trois ans, trouvait le ranch bien vide. Elle aurait aimé des compagnons de jeu. Le bétail, les chevaux étaient trop gros pour qu'elle puisse les câliner et les machines agricoles étaient dangereuses pour une petite enfant. Nous lui avons promis un chiot. En l'attendant, elle inventait chaque jour un chien «imaginaire».

Je venais tout juste de terminer la vaisselle du déjeuner lorsque la porte grillagée claqua et Becky arriva en courant, les joues rouges d'excitation. «Maman! cria-t-elle. Viens voir mon nouveau chien! Je lui ai déjà donné de l'eau deux fois. Il avait si soif!»

J'ai soupiré, un autre des chiens imaginaires de Becky.

«Viens, maman, je t'en prie», dit-elle en tirant sur mes jeans, les yeux suppliants. «Il pleure et il ne peut pas marcher!»

«Il ne peut pas marcher?» Voilà un détail intéressant. Tous ses autres chiens imaginaires pouvaient faire des choses extraordinaires. Il y en avait un qui tenait une balle en équilibre sur son nez. Un autre a creusé un trou si profond qu'il a traversé la terre avant de tomber sur une étoile de l'autre côté. Enfin, un autre dansait sur un fil. Pourquoi maintenant un chien qui ne pouvait marcher?

«Oui, ma chérie», dis-je. Avant que j'aie pu la suivre, Becky était déjà disparue dans un buisson de mesquite. «Où es-tu?» dis-je.

«Ici, près de la souche du chêne. Vite, maman!»

J'ai écarté les branches épineuses et levé la main pour me protéger du soleil brillant de l'Arizona. Je fus saisie sur place.

Elle était là, accroupie, ses orteils fermement ancrés dans le sable et, appuyée sur ses genoux, la tête facilement reconnaissable d'un loup! Derrière la tête, de larges épaules noires se dressaient. Le reste du corps était complètement dissimulé à l'intérieur de la souche évidée d'un chêne.

«Becky, dis-je la bouche sèche, ne bouge pas!» Je me suis approchée. Les yeux jaune pâle se rétrécirent. Les lèvres noires se crispèrent, révélant une double rangée de crocs de cinq centimètres. Soudain, le loup trembla. Ses dents claquèrent et une plainte piteuse sortit de sa gorge.

«Reste calme petit, dit Becky d'une voix rassurante, n'aie pas peur. C'est ma maman et elle t'aime, elle aussi.»

Puis, une chose incroyable se produisit. Comme les petites mains flattaient la grosse tête ébouriffée, j'entendis un doux battement sourd de la queue de l'animal qui frappait la souche vide.

Que se passait-il avec cet animal? me demandai-je. Pourquoi ne peut-il pas se lever? Je ne pouvais dire. Je n'osais m'approcher plus près.

Je jetai un regard au bol d'eau vide. Je me suis souvenue des cinq mouffettes qui, la semaine précédente, avaient déchiré la toile autour d'un tuyau qui coulait dans un effort désespéré pour trouver de l'eau au moment où elles mouraient de la rage. Oui, bien sûr! La rage! Des affiches avaient été placardées dans tout le comté et Becky n'avait-elle pas dit: «Il a si soif»?

Il fallait éloigner Becky. «Chérie, dis-je la gorge serrée, laisse sa tête et viens vers maman. Nous allons trouver de l'aide.»

À regret, Becky se leva et embrassa le loup sur le museau avant de venir lentement vers mes bras tendus. Deux yeux jaunes et tristes la suivaient du regard. Puis le loup laissa tomber sa tête sur le sol.

Serrant Becky en sûreté dans mes bras, je courus jusqu'à l'étable où Brian, un de nos ouvriers agricoles, sellait son cheval en vue d'aller voir les génisses dans le pâturage nord.

«Brian! Venez vite. Becky a trouvé un loup dans la souche du chêne près du lavoir! Je crois qu'il a la rage!»

«J'arrive!», dit-il pendant que je me dirigeais vers la maison pour coucher Becky. Je ne voulais pas qu'elle voie Brian sortir du baraquement. Je savais qu'il aurait une arme.

«Mais, je veux donner à boire à mon chien-chien,» dit-elle. Je l'ai embrassée et lui ai donné des animaux en peluche pour l'amuser. «Chérie, maman et Brian vont s'occuper de lui pour le moment», lui dis-je.

Quelques instants plus tard, je me trouvais près du tronc du chêne. Brian était là et regardait l'animal. «Il s'agit bien d'un *lobo* mexicain, dit-il. Et un gros!» Le loup gémit. C'est alors que nous avons senti l'odeur de la gangrène.

«Ouf! Ce n'est pas la rage, dit Brian. Mais, il est sérieusement blessé. Ne pensez-vous pas qu'il vaudrait mieux le soulager de sa douleur en l'abattant!»

J'allais dire «Oui» lorsque Becky sortit des buissons. «Est-ce que Brian va le guérir, maman?» Une nouvelle fois, elle prit la tête de l'animal sur ses genoux et enfouit son visage dans la fourrure dense. Cette fois, je n'étais pas la seule à entendre le battement de la queue du *lobo*.

Au cours de l'après-midi, mon mari, Bill, et notre vétérinaire allèrent voir le loup. En voyant la confiance que l'animal avait en notre fille, Doc me dit: «Pourquoi ne laisseriez-vous pas Becky et moi nous occuper de la bête?» Quelques minutes plus tard, après que l'enfant et le vétérinaire eurent rassuré la pauvre bête, la seringue trouva sa cible. Les yeux jaunes se fermèrent.

«Il dort maintenant, dit le vétérinaire. Bill, aide-moi.» Ils tirèrent le corps massif de la souche. L'animal devait bien faire un mètre cinquante et plus de 45 kilos. La hanche et la patte avaient été déchiquetées par des balles. Doc fit le nécessaire pour nettoyer la plaie et donna au patient une dose de pénicilline. Il revint le lendemain pour insérer une tige de métal pour remplacer l'os manquant.

«Eh bien, il semble que vous voilà propriétaires d'un *lobo* mexicain, dit le Doc. Il doit avoir trois ans. Même louveteaux, ils ne sont pas faciles à apprivoiser. Je suis surpris que cette grosse bête se soit entichée de votre petite fille. Il se produit souvent des choses entre les animaux et les enfants qui échappent aux adultes.»

Becky baptisa le loup Ralph et chaque jour, elle lui apportait à boire et à manger. La guérison de Ralph ne fut pas facile. Pendant trois mois, il traînait son arrière-train blessé en s'agrippant au sol avec ses pattes de devant. À la manière dont il baissait les paupières lorsque nous massions ses membres atrophiés, nous savions qu'il souffrait énormément, mais jamais il n'a tenté de mordre ceux qui s'occupaient de lui.

Quatre mois, jour pour jour, après son arrivée, Ralph se leva sans aide. Son énorme corps trembla quand il étira ses muscles longtemps inutilisés. Bill et moi l'avons flatté et encouragé. Pourtant, c'est vers Becky qu'il se tournait pour les mots doux, les baisers ou les sourires. Il répondait à ces gestes d'amour en agitant sa queue touffue à la manière d'un pendule.

À mesure qu'il prenait des forces, Ralph suivait Becky partout sur le ranch. Ensemble, ils parcouraient les pâturages déserts, l'enfant aux cheveux dorés se penchant souvent pour partager avec le grand loup boiteux quelque secret sur les merveilles de la nature. Le soir venu, il retournait comme une ombre silencieuse vers la souche évidée qui représentait sans doute pour lui un endroit bien spécial. Avec le temps, bien qu'il passât le plus clair de ses journées dans la brousse, les habitudes de cette créature timide l'amenèrent à se faire aimer de nous tous un peu plus chaque jour.

Ses réactions face aux étrangers étaient une autre histoire. Les étrangers le terrorisaient, mais son affection et son instinct de protection pour Becky le faisaient revenir du désert ou des champs à la vue de tout véhicule inconnu. À l'occasion, il s'approchait, la lèvre relevée en un sourire nerveux et claquait des dents. La plupart du temps, il se contentait de faire les cent pas avant de s'en aller furtivement vers sa souche, peut-être pour s'inquiéter dans la solitude.

La première journée d'école de Becky, Ralph fut bien triste. Après le départ de l'autobus, il refusa de revenir dans la cour. Il s'étendit près de la route et attendit. Lorsque Becky revint, il fit de joyeux cercles autour d'elle en boitillant et clopinant. Ce rituel d'accueil se répéta pendant toutes ses années d'école.

Même si Ralph semblait heureux au ranch, le printemps venu, il disparaissait dans le désert et les montagnes environnantes pour plusieurs semaines pendant la saison des amours. Nous nous inquiétions pour sa sécurité. C'était la saison du vêlement, et les autres éleveurs se méfiaient des coyotes, des pumas, des chiens sauvages et, bien sûr, du loup solitaire. Ralph a eu de la veine.

Pendant les douze ans que Ralph a passés sur notre ranch, ses habitudes n'ont jamais changé. Toujours distant, il tolérait les autres animaux et supportait les activités de notre famille bien occupée, mais son amour pour Becky n'a jamais faibli. Un jour de printemps, notre voisin nous annonça qu'il avait tué une louve et blessé son compagnon qui courait à ses côtés. Évidemment, Ralph est revenu à la maison avec une autre blessure par balle.

Becky avait alors près de quinze ans. Elle s'est assise et a mis la tête de Ralph sur ses genoux. Il devait lui aussi avoir quinze ans et il avait grisonné avec l'âge. Pendant que Bill retirait la balle, ma mémoire m'a ramenée dans le temps. J'ai revu une petite fille potelée de trois ans, qui caressait la tête d'un énorme loup et j'ai entendu sa petite voix murmurer: «Reste calme petit. N'aie pas peur, c'est ma maman et elle t'aime, elle aussi.»

Bien que la blessure fût légère, cette fois, Ralph ne se rétablit pas. Il perdit du poids. Le pelage, autrefois riche, est devenu terne et sec, et il a cessé ses promenades dans la cour à la recherche de Becky. Il passait toutes ses journées allongé, tranquille.

Par contre, la nuit tombée, malgré son âge et ses raideurs, il disparaissait vers le désert et les collines environnantes. À l'aube, sa nourriture avait disparu.

Un matin, nous l'avons trouvé mort. Les yeux jaunes étaient fermés. Étendu devant la souche du chêne, il n'était plus que l'ombre de la fière bête qu'il avait été. Ma gorge se serra quand j'ai vu Becky, en larmes, caresser son cou hirsute. «Il me manquera tellement», gémissait-elle.

Au moment de recouvrir le corps d'une couverture, nous avons été surpris par un bruit furtif à l'intérieur de la souche. Becky regarda à l'intérieur. Deux petits yeux jaunes la regardèrent en retour et de petits crocs de louveteau luisaient dans l'ombre. Le petit de Ralph!

Est-ce que, au moment de mourir, son instinct lui avait dit que son rejeton orphelin serait en sécurité ici, tout comme lui, avec ceux qui l'avaient aimé. Des larmes chaudes vinrent mouiller la fourrure du petit quand Becky le prit, tremblant, dans ses bras. «Reste calme, petit... Ralphie, murmura-t-elle. N'aie pas peur, c'est ma maman et elle t'aime, elle aussi.»

Penny Porter

Le chagrin de Boule de neige

L'espoir est une chose à plumes
Perchée dans l'âme.
Elle chante l'air sans les mots,
Et ne s'arrête jamais.

Emily Dickinson

Les inséparables. C'est ainsi que nous appelaient nos amis au début de notre mariage.

J'imagine que John et moi méritions ce surnom. Nous n'avions pas beaucoup d'argent, nous étions étudiants, et nous travaillions pour payer nos études. Il nous arrivait d'économiser pendant des jours pour nous offrir une glace. Pourtant, notre minuscule et terne appartement nous semblait un paradis. C'est comme ça quand on s'aime.

De toute façon, plus nous entendions le mot «inséparables», plus nous pensions aux oiseaux. Un jour, nous avons commencé à économiser pour nous acheter un couple d'inséparables: ceux avec des plumes. Nous ne pouvions acheter les inséparables *et* une belle cage, alors, John fabriqua la cage pendant ses loisirs.

Nous avons placé la cage devant une fenêtre à l'ombre. Puis, nous avons attendu que l'enveloppe chiffonnée, marquée «inséparables», soit pleine de billets et de monnaie. Le jour est enfin arrivé où nous avons pu aller à l'animalerie locale pour «adopter» de nouveaux membres pour notre petite famille.

Nos cœurs penchaient pour des perroquets. Mais, dès que nous avons entendu les canaris chanter, nous avons changé d'idée. Nous avons choisi un mâle jaune plein d'entrain et une charmante femelle blanche, et nous les avons baptisés Rayon de soleil et Boule de neige.

Nos occupations nous empêchaient de passer beaucoup de temps avec nos nouveaux amis, mais nous adorions l'accueil chaleureux de leurs chants quand nous rentions à la maison. Ils semblaient au comble du bonheur l'un avec l'autre.

Le temps a passé et quand nos jeunes inséparables nous ont semblé suffisamment âgés pour commencer une famille, nous avons préparé un endroit pour leur nid en leur donnant tout le matériel nécessaire.

À coup sûr, un jour, ils ont commencé à trouver l'idée séduisante. Boule de neige surveillait efficacement la construction et la décoration de leur nid, alors que Rayon de soleil, amoureux, faisait tout ce qu'elle lui demandait.

Un jour, un œuf est apparu. Ce qu'ils ont chanté! Quelques semaines plus tard, quand un oisillon a percé sa coquille, ils semblaient au comble du bonheur. Je ne comprends rien à la génétique, mais le petit canari était orangé brillant. Nous l'avons donc immédiatement nommé Tête de citrouille.

Les jours ensoleillés passèrent. Nous étions tous très fiers lorsque notre oisillon sortit du nid en titubant pour se poser sur le perchoir comme un grand!

Puis, un jour, Tête de citrouille est tombé tête première de son perchoir dans le fond de la cage. Le petit oiseau orange est resté là, immobile. Les deux parents et moi sommes accourus à son aide.

Mais il était mort. Sans raison! A-t-il eu un accident cardiaque ou s'est-il cassé le cou en tombant, je ne le saurai jamais. Mais Tête de citrouille n'était plus!

Les deux parents étaient affligés, mais la petite maman semblait inconsolable. Elle refusait de laisser Rayon de soleil ou moi approcher du pauvre petit corps. Au lieu des mélodies joyeuses, Boule de neige faisait entendre des cris et des plaintes atroces. Son cœur, sa joie et son désir de vivre avaient été détruits par sa peine.

Le pauvre Rayon de soleil ne savait que faire. Il tentait d'écarter Boule de neige de sa triste position mais elle refusait de bouger. Au contraire, elle tentait par tous les moyens de ranimer son petit adoré.

Finalement, Rayon de soleil a semblé élaborer un plan. Il l'a convaincue de monter manger quelques graines de temps à autre, alors qu'il gardait sa place. Chaque fois qu'elle quittait, il mettait doucement un brin de paille sur le corps de Tête de citrouille. Après quelques jours, le corps avait été complètement recouvert.

Au début, Boule de neige semblait désorientée et regardait partout, mais elle n'a pas tenté de dégager l'oisillon. Elle a plutôt volé jusqu'à son perchoir habituel et y est restée. C'est alors que j'ai pu doucement retirer le petit corps de la cage, avec son linceul de paille.

Après cet incident, Rayon de soleil passait tout son temps à consoler Boule de neige. Plus tard, ils ont recommencé à émettre des sons normaux jusqu'à ce qu'un jour, son chagrin envolé, elle se remette à chanter.

Je ne sais pas si Boule de neige a compris les gestes d'amour et de réconfort que Rayon de soleil avait posés à son égard. Ils sont restés attachés l'un à l'autre jusqu'à leur mort. C'est comme ça quand on s'aime.

Tout particulièrement chez les inséparables.

Bonnie Compton Hanson

Des amis

Il y a vingt et un ans, mon mari m'a donné Sam, un schnauzer de huit semaines, pour me consoler de la perte de notre fille, morte à la naissance. Sam et moi avons développé une relation très spéciale au cours des 14 années qui ont suivi. Il semblait que rien n'aurait pu la changer.

À un certain moment, mon mari et moi avons décidé de déménager de notre appartement de New York dans une nouvelle maison au New Jersey. Quelque temps après, notre voisin, dont la chatte venait de mettre bas des chatons, nous a demandé si nous en voulions un. Inquiets de la jalousie possible de Sam et de la manière dont il réagirait à cet envahissement de son territoire, nous avons tout de même décidé d'en adopter un.

Nous avons choisi une petite boule enjouée de poils gris. C'était un véritable ouragan dans la maison. Elle courait partout, chassant des souris et des écureuils imaginaires, et sautait sur les chaises et les tables à la vitesse de l'éclair. C'est ainsi que nous l'avons nommée Éclair.

Au début, Sam et Éclair firent montre de prudence et gardèrent leurs distances. Puis, à mesure que les jours passaient, Éclair a commencé à suivre Sam – dans les escaliers, dans la cuisine pour le regarder manger, dans la salle de séjour pour le regarder dormir. Avec le temps, ils sont devenus inséparables. Ils dormaient toujours ensemble, mangeaient côte à côte. Si je jouais avec l'un d'eux, l'autre venait nous rejoindre. Lorsque Sam aboyait, Éclair courait voir ce qui se passait. Si je sortais avec l'un d'eux, l'autre nous attendait toujours à la porte à notre retour. Les années ont passé sans que rien ne change.

Puis, sans préavis, Sam a commencé à faire des convulsions et on lui diagnostiqua une faiblesse au cœur. Je n'avais d'autre choix que de mettre fin à ses jours. La peine que nous a causée cette décision ne se comparait pas à ce que j'ai éprouvé lorsque j'ai dû laisser Sam chez le vétérinaire et rentrer seule à la maison. Cette fois, il n'y avait plus de Sam à accueillir pour Éclair et il n'était pas possible de lui expliquer pourquoi elle ne verrait plus jamais son ami.

Les jours suivants, Éclair avait le cœur brisé. Elle ne pouvait exprimer sa peine par des mots, mais je voyais bien son désappointement chaque fois que la porte s'ouvrait, ou son espoir lorsqu'elle entendait un chien aboyer.

Les semaines ont passé et le chagrin du chat semblait s'effacer. Un jour, en entrant dans le salon, mes yeux sont tombés sur une réplique de Sam que nous avions achetée quelques années plus tôt. Étendue, une patte autour du cou de la statue, Éclair dormait, heureuse auprès de son meilleur ami.

Karen Del Tufo

Droit au cœur

Les chiens nous donnent tout. Nous sommes le centre de leur univers. Ils nous donnent leur amour et leur confiance. Ils nous servent en retour de miettes. C'est, sans aucun doute, le meilleur marché que l'homme ait jamais conclu.

Roger Caras

Les gens passent toute leur vie à chercher l'amour. Je n'étais pas différente. Jusqu'à ce qu'un jour, je décide de regarder dans les cages de la fourrière locale. L'amour était là qui m'attendait.

Le vieux chien était considéré comme impossible à adopter. Un mélange chétif de beagle et de terrier, on l'avait ramassé courant sur ses trois pattes le long de la route, affligé d'une hernie, d'une oreille écorchée et avec beaucoup de plombs dans son arrière-train.

Les gens de la société protectrice des animaux l'ont gardé pendant les sept jours habituels, et quelques jours de plus parce qu'il était très doux. Ils ont pensé que si quelqu'un avait déjà payé pour le faire amputer, cette personne le chercherait peut-être. Mais personne ne l'a réclamé.

Il y avait dix jours qu'il était là lorsque je l'ai vu pour la première fois. J'étais passée pour laisser des couvertures à la société et je l'ai aperçu. À travers les barreaux de sa cage, il m'a semblé sympathique et mon cœur a été touché. Je ne pouvais pas amener un autre chien chez moi, j'en avais déjà quatre. *Il y a une limite à tout,* pensai-je, *je ne peux les sauver tous.*

En quittant la société, je savais que le chien serait euthanasié si je ne le prenais pas et cela m'a donné un coup au cœur. Je me sentais si impuissante. En passant devant l'église, on affichait le thème du sermon de la semaine. Noël approchait et le thème, très approprié, était: «Y a-t-il encore de la place à l'auberge?»

Dès lors, j'ai su qu'il y aurait toujours de la place pour un autre, particulièrement si cet autre avait besoin de mon amour.

Le lendemain, dès l'ouverture de la société, leur téléphone sonna. «Je viens chercher le vieux chien. Gardez-le-moi», leur dis-je.

Je m'y suis rendue à toute vitesse. Dès que je l'ai réclamé, il m'a donné son cœur.

Je ne crois pas qu'il y ait une expérience qui soit plus émouvante que de sauver un chien. Les chiens sont des créatures aimantes. Lorsqu'on y ajoute le soulagement et la gratitude, il en résulte une véritable dévotion. Ce lien apporte une satisfaction que je n'échangerais jamais pour tous les chiots du monde.

Je l'ai nommé Tugs (serrement) parce qu'il m'avait serré le cœur, et j'ai fait tout en mon pouvoir pour lui donner une vie heureuse. En retour, Tugs a donné un sens nouveau au mot *adoration*. Où que j'aille, il voulait être avec moi. Il ne me quittait jamais des yeux et dès que je regardais en sa direction, son corps tremblait de joie. Malgré ses handicaps et sa santé chancelante, sa soif de vivre était remarquable. Tous les soirs, sans exception, il m'accueillait à la porte, les yeux brillants, et sa queue fouettait l'air d'excitation.

Nous avons vécu ensemble pendant un peu plus d'un an. Pendant tout ce temps, j'ai senti un courant d'amour silencieux, fort, constant et profond qui passait de lui à moi. Quand est venu le temps de demander au vétérinaire de mettre fin à ses souffrances, j'ai tenu sa tête dans mes mains, mes larmes coulant sur son vieux museau, et je l'ai regardé s'endormir doucement. Malgré ma tristesse, je lui étais reconnaissante de son don d'amour.

Pour ceux qui n'ont jamais vécu une telle expérience avec une bête, il n'y a pas de mots pour la décrire adéquatement. Par contre, si vous avez aimé un animal de cette façon et qu'il vous l'a rendu, il n'y a rien à ajouter. Certaines personnes comprendront que depuis le départ de Tugs, ma peur de la mort a diminué. Si la mort veut dire retrouver Tugs, alors, qu'elle vienne lorsque le temps sera venu.

Entre-temps, je continue mon travail: je sauve les bêtes abandonnées et je leur trouve un foyer où elles goûteront à l'amour et sèmeront du bonheur en retour.

Souvent, lorsque je regarde vers le ciel et que je vois des nuages s'y promener, je me surprends à envoyer un simple message: *Je t'aime, Tugs.*

Susan Race

Un ange différent

Le temps de la mise bas est un temps pour rêver. Nous venions de commencer à élever des Appaloosas sur notre ranch de l'Arizona et je rêvais de rubans bleus et d'acheteurs avides. Au cours de cette première année, le pelage flamboyant de neuf petits Appaloosas avait transformé nos pâturages en un paysage de couleur. Leurs têtes brillaient d'étoiles et de langues de feu, leurs croupes étincelaient de taches et de marques, parsemées comme des bulles de savon.

Nous attendions la naissance de notre dixième pouliche et j'étais sûre qu'elle serait la plus colorée de toutes. Son père était un étalon blanc avec des taches marron sur la moitié de son corps, et sa queue multicolore touchait le sol. La mère était couverte de milliers de petits points de la grosseur d'une pièce de monnaie. J'avais déjà trouvé un nom pour leur petit: Pluie d'étoiles.

Mon mari m'avait mise en garde: «Avec les chevaux, tu n'as pas toujours ce à quoi tu t'attendais.»

La nuit de sa mise bas, je surveillais la mère par la télévision en circuit fermé que Bill avait installée dans notre chambre. Je pouvais voir la jument luisante de sueur, ses yeux cerclés de blanc, pleins d'inquiétude. Elle allait mettre bas dans quelques heures lorsque je me suis endormie.

Je me suis éveillée en sursaut. Trois heures avaient passé! Un regard au moniteur m'apprit que la jument était couchée sur le côté. La naissance avait eu lieu. Mais, où était le petit?

«Bill, réveille-toi!» Je l'ai secoué vivement. «Quelque chose a volé le petit!» Ma tête était pleine de chiens sauvages, de coyotes et autres prédateurs. Quelques instants plus tard, nous étions dans le corral mal éclairé. «Où est ton bébé, maman?» lui criai-je en m'agenouillant pour lui caresser l'encolure.

Soudain, une tête sortit de l'ombre – maigre, sombre et laide. Comme la créature s'efforçait de se lever, j'ai compris pourquoi je ne l'avais pas vue sur mon écran: aucune tache de couleur, pas de robe brillante. Notre pouliche était brune comme la terre.

«Je n'arrive pas à y croire!» dis-je en m'accroupissant pour mieux voir. «Il n'y a pas un seul poil blanc sur cette pouliche!» Nous avons découvert d'autres traits indésirables: un front protubérant, un horrible nez tombant, des oreilles tombantes de lièvre et une queue écourtée presque sans poils.

«C'est un cas de régression», dit Bill. Je savais que nous pensions tous deux la même chose. *Cette pouliche ne se vendra pas. Qui voudrait d'un Appaloosa sans couleur?*

Le lendemain matin, à son arrivée du travail, notre fils aîné Scott n'a pas mâché ses mots. «Qu'allons-nous faire de cette horreur?» a-t-il demandé.

La pouliche avait maintenant les oreilles droites. «Elle ressemble à une mule, dit Scott. Qui voudra d'elle?»

Nos deux plus jeunes filles, Becky et Jaymee, quinze ans et douze ans, avaient leurs propres questions. «Comment saura-t-on qu'elle est une Appaloosa?» demanda Becky. «Y a-t-il des taches sous son pelage?»

«Non, répondis-je. Mais, elle est Appy dans l'âme.»

«Cela signifie qu'elle a des taches sur son cœur», dit Jaymee. *Qui sait?* me dis-je. *Elle le sait peut-être.*

Dès le départ, la pouliche ordinaire semblait sentir qu'elle était différente. Les visiteurs regardaient rarement dans sa direction et lorsqu'ils le faisaient, nous disions: «Oh, nous gardons simplement sa mère». Nous ne voulions pas que les gens sachent que notre magnifique étalon avait engendré cette pouliche.

Bientôt, je me suis aperçue qu'elle se délectait de la présence des humains. Sa mère et elle étaient les premières à la barrière au moment des repas, et lorsque je caressais son cou, elle fermait les yeux de plaisir. Peu après, elle fourrait son nez dans ma veste, faisant courir ses lèvres sur ma chemise, arrachant mes boutons et ouvrant même la barrière pour me suivre et mettre sa tête sur ma hanche. Ce n'était pas la conduite normale d'une pouliche.

Malheureusement, elle avait un appétit d'ogre. Plus elle grossissait, plus elle devenait laide. *Lui trouvera-t-on un foyer, un jour?* me demandais-je.

Un jour, un homme acheta un de nos meilleurs Appaloosas pour son cirque. Il vit soudain la pouliche brune à la queue écourtée. «Ce n'est pas une Appaloosa, n'est-ce pas? demanda-t-il. Elle ressemble à un mulet.» Comme il cherchait des chevaux de cirque, j'ai sauté sur l'occasion. «Vous seriez surpris, dis-je. Cette pouliche connaît plus de trucs qu'un magicien. Elle peut voler un mouchoir de ma poche, se rouler sous les clôtures. Elle grimpe dans les auges. Elle ouvre même les robinets!»

«Un vrai petit diable, non?»

«Non», répondis-je rapidement, puis, sur l'inspiration du moment, j'ajoutai: «Nous l'appelons Ange.»

Il rit. «De toute façon, nous cherchons des couleurs qui attirent l'œil, me dit-il. Les gens aiment mieux les animaux tachetés.»

Le temps passait et Ange inventait de nouveaux tours. Son préféré était d'ouvrir les barrières pour aller manger de l'autre côté.

«C'est une véritable Houdini», s'étonnait Bill.

«C'est une véritable peste», disait Scott qui devait toujours courir après elle.

«Tu dois lui consacrer plus de temps, lui dis-je. Tu passes tout ton temps à soigner les autres poulains. Tu ne touches jamais à Ange sauf pour lui crier après.»

«Qui a le temps de travailler avec une bourrique? De plus, papa dit que nous l'amènerons à l'encan.»

«Quoi! La vendre!»

J'ai attrapé Bill. «S'il te plaît, donne-lui une chance. Laisse-la grandir sur le ranch», le suppliai-je. «Ensuite, quand elle aura deux ans, Scott pourra lui mettre une selle. Avec son doux caractère, quelqu'un en voudra bien à ce moment-là.»

Il a répondu: «Ce n'est pas un cheval de plus qui va créer des problèmes. Nous la mettrons dans le pâturage de l'est. Il n'y a pas beaucoup à brouter, mais...» Ange était sauvée pour le moment.

Deux semaines plus tard, elle était à la porte avant et mangeait la moulée de notre chien de garde. Elle avait soulevé la chaîne de la barrière du pâturage et elle était sortie, entraînant derrière elle dix autres chevaux. Quand Scott et Bill eurent terminé de rassembler les bêtes, il m'a semblé que Bill devenait impatient.

Avec le temps, le nombre de ses petits numéros augmentait. Lorsque Bill ou Scott allaient aux champs, elle mangeait le caoutchouc des essuie-glaces. S'ils laissaient une fenêtre ouverte, elle s'emparait d'un torchon, d'un gant ou d'un calepin et elle partait à la course.

Étonnamment, Bill a commencé à pardonner les frasques d'Ange. Lorsqu'un acheteur d'Appaloosa se présentait, elle arrivait au galop, freinait en catastrophe à 10 mètres, et reculait pour se faire gratter la croupe. Bill disait aux acheteurs: «Nous avons notre propre cirque ici même.» Même Scott souriait derrière sa moustache fournie.

Les saisons ont passé. Le soleil brûlant a fait place à la pluie – et avec elle des millions de mouches. Un jour, Ange devait avoir deux ans et demi, j'ai vu Scott la mener vers la grange. «Sa queue stupide ne lui offre aucune protection, me dit-il. Je vais lui en confectionner une nouvelle.» C'est à ce moment que j'ai compris que les sentiments de Scott envers le cheval commençaient à changer.

Le lendemain, je n'ai pu m'empêcher de sourire lorsque j'ai vu Scott couper et tresser deux douzaines de brins de filin à foin pour en faire une longue vadrouille qu'il a fixée avec du ruban gommé à la queue pansée d'Ange. «Voilà, dit-il. Elle ressemble presque à un cheval normal.»

Scott a décidé de tenter de dresser Ange pour l'équitation. Bill et moi étions assis sur la clôture pendant qu'il la sellait. Ange a arqué le dos. «Bienvenue au rodéo!», murmurai-je. Mais, lorsque Scott a serré la sangle autour de son corps replet, elle ne s'est pas cabrée. Elle a simplement attendu.

Lorsque Scott est monté en selle et a appliqué une légère pression des genoux, le cœur généreux de l'Appaloosa s'est manifesté. Il lui a ordonné d'avancer et elle a répondu comme si elle avait été montée depuis des années. J'ai tendu la main et flatté le front bombé. «Un jour, elle sera un formidable cheval d'équitation», dis-je.

Scott a répliqué: «Avec son tempérament, elle ferait un bon cheval de polo. Elle ferait même un merveilleux cheval pour un enfant.» Même Scott commençait à rêver pour notre Appaloosa brune à la drôle de queue.

Quand arriva le temps de pouliner, Ange hennissait près des nouveau-nés comme si chacun d'eux était le sien. «Ce serait peut-être le temps, ai-je dit à Bill. Elle a quatre ans. Avec sa capacité de donner de l'amour, imagine quelle mère elle ferait.»

Bill pensait que c'était une bonne idée, Scott aussi. «Les gens achètent souvent une jument qui a déjà mis bas, dit-il. Peut-être lui trouverons-nous un foyer.» Soudain, j'ai vu une expression nouvelle dans la figure de Scott. Je me suis demandé: «Se pourrait-il qu'il s'intéresse à elle?»

Pendant l'hiver de sa grossesse, Ange a semblé oublier ses escapades en dehors du corral. En avril, à mesure qu'approchait la date de sa mise bas, une pluie abondante a semé la vie dans nos champs. Nous nous demandions si Ange n'allait pas une fois de plus sauter la clôture en quête de nourriture fraîche.

Un matin, alors que je préparais le déjeuner, Scott est entré dans la cuisine. Ses yeux noisette étaient sombres sous son Stetson à bords larges. «C'est Ange, dit-il doucement. Tu ferais mieux de venir. Elle est sortie du corral hier soir.»

Retenant mes peurs, j'ai suivi Scott vers son camion. «Elle a accouché de sa pouliche quelque part, dit-il. Papa n'a pu la trouver. Elle est en train de... mourir.» J'ai noté que sa voix se brisait. «Il semble qu'elle ait essayé de revenir à la maison.»

Quand je suis arrivée près d'Ange, Bill était penché à ses côtés. «Il n'y a rien à faire», dit-il en montrant les fleurs sauvages bleues dans le champ, près de la clôture, à la portée d'un cheval affamé. «C'est de l'herbe folle. Certains chevaux l'aiment, mais elle peut les tuer.»

J'ai attiré la grosse tête d'Ange vers mes genoux et je l'ai flattée derrière les oreilles. Les yeux de Scott se sont remplis de larmes. «La meilleure jument que nous n'ayons jamais eue», a-t-il murmuré.

Je l'ai suppliée: «Ange, ne t'en va pas, s'il te plaît!» Retenant mon chagrin, je lui ai caressé le cou et écouté son râle. Elle a tressailli une fois et j'ai regardé ses yeux qui ne pouvaient plus voir. Ange était morte.

Engourdie, j'ai entendu Scott crier à quelques mètres de là: «Maman! Papa! Venez voir ce petit!»

Dans l'herbe longue qui sentait bon, il y avait un petit poulain. Une tache solitaire éclairait sa tête et des étoiles pailletaient son dos et ses hanches. J'ai murmuré: «Pluie d'étoiles!»

Mais la couleur n'importait plus. Sa mère nous avait montré à maintes reprises que ce n'est pas l'extérieur qui compte, mais ce qui est au fond du cœur.

Penny Porter

Trouver sa place

Éventuellement vous comprendrez que l'amour guérit tout, et qu'il n'y a rien d'autre que lui.

Gary Zukav

Une pluie glaciale délavait la rue asphaltée devant le bar de la petite ville. J'étais assis, les yeux perdus dans la noirceur humide, seul, comme toujours. De l'autre côté de la rue trempée par la pluie, s'étendait le parc municipal: cinq acres de pelouse, des ormes géants et, ce soir, une mare d'eau froide qui montait jusqu'aux chevilles.

Il y avait bien une demi-heure que je sirotais mon verre dans le vieux pub quand mon regard s'est soudainement posé sur une bosse de moyenne grosseur dans une flaque d'eau à une trentaine de mètres devant. Pendant un bon dix minutes, j'ai regardé à travers la fenêtre striée de pluie, tentant de décider si cette bosse était un animal ou un objet inanimé.

La veille au soir, un chien bâtard, ressemblant à un berger allemand, était venu au bar quêter des croustilles. Il était galeux, affamé et à peu près de la taille de la bosse en question. *Pourquoi un chien resterait-il couché dans une mare d'eau sous cette pluie glaciale?*, me suis-je demandé. La réponse était simple: ou ce n'était pas un chien ou il était trop faible pour se lever.

J'avais été blessé à l'épaule droite par un éclat d'obus, et ma blessure me faisait souffrir jusqu'au bout des doigts. Je ne voulais pas sortir par cette tempête. Après tout, ce n'était pas mon chien, il n'appartenait à personne. Ce n'était qu'un chien errant sous la pluie par une soirée froide, un itinérant solitaire.

Tout comme moi!, pensai-je en vidant mon verre d'un trait. J'ai ouvert la porte et je suis sorti.

Il était couché dans cinq centimètres d'eau. Il n'a pas bougé quand je lui ai touché. J'ai cru qu'il était mort. Je l'ai pris par le poitrail et je l'ai levé sur ses pattes. Il se tenait chancelant dans la mare, sa tête pendait comme un poids au bout de son cou. La moitié de son corps était couvert de gale. Ses oreilles tombantes étaient des morceaux de chair sans poils, pleins de plaies ouvertes.

«Viens!» lui dis-je en espérant ne pas avoir à porter sa carcasse infectée jusqu'à un abri. Sa queue a remué une fois et il m'a suivi d'un pas mal assuré. Je l'ai mené à une alcôve près du bar où il s'est couché sur le ciment froid et a fermé les yeux.

À un coin de rue, je pouvais voir les lumières d'un dépanneur encore ouvert. J'ai acheté trois boîtes d'Alpo que j'ai glissées dans ma veste de cuir. J'étais trempé et sale et le commis a semblé soulagé de me voir sortir. Les tuyaux d'échappement de course de ma vieille Harley-Davidson faisaient vibrer les vitres pendant mon retour au bar.

La serveuse a ouvert les boîtes pour moi et m'a dit que le chien s'appelait Shep. Elle m'a aussi dit qu'il avait environ un an et que son propriétaire était parti pour l'Allemagne et l'avait abandonné dans la rue. Il a dévoré les trois boîtes de nourriture pour chiens avec une détermination impressionnante. J'ai voulu le flatter, mais il dégageait une odeur de mort et en avait l'air. «Bonne chance», dis-je avant de partir sur ma moto.

Le lendemain, j'ai déniché un emploi de camionneur pour une petite entreprise de pavage. En traversant le centre-ville avec un chargement de pierre, j'ai vu Shep, debout près du bar. Je lui ai lancé un cri et j'ai cru voir un battement de queue. Sa réaction m'a réconforté.

Après le travail, j'ai acheté trois autres boîtes d'Alpo et un cheeseburger. Mon nouvel ami et moi avons soupé ensemble sur le trottoir. Il a terminé son repas avant moi.

Le lendemain soir, alors que je lui apportais sa nourriture, il m'a accueilli avec un enthousiasme fou. De temps en temps, ses faibles pattes le lâchaient et il tombait au sol. Les autres humains l'avaient abandonné et maltraité, mais il avait maintenant un ami qu'il appréciait d'une manière très évidente.

Le lendemain, je ne l'ai pas vu au cours de mes nombreux passages devant le bar. Je me suis demandé si quelqu'un ne l'avait pas amené chez lui.

Après le travail, j'ai garé ma Harley noire dans la rue et j'ai marché à sa recherche. Je craignais ce que j'ai trouvé. Il gisait sur le côté dans une ruelle près de là. Sa langue pendait sur la terre et seul le bout de sa queue a remué lorsqu'il m'a vu.

Le vétérinaire local était encore à son bureau. J'ai donc emprunté une camionnette de mon employeur et j'ai mis le pauvre bâtard dans la cabine. Après avoir examiné ce piteux spécimen, étendu sans défense sur la table, le vétérinaire m'a demandé: «C'est votre chien?»

«Non», ai-je répondu, «c'est un chien errant.»

«Il a un début de distemper (maladie des jeunes chiens)», a déclaré gravement le vétérinaire. «Si personne ne s'en occupe, la meilleure chose que nous puissions faire est de mettre fin à ses souffrances.»

J'ai mis la main sur l'épaule du chien. Sa queue galeuse a battu faiblement contre la table d'acier inoxydable.

Avec un profond soupir, j'ai dit: «Je m'en occuperai.»

Pendant les trois nuits et les deux jours suivants, le chien, que j'avais baptisé Shep, est resté étendu sur le côté dans mon appartement. Mon colocataire et moi avons passé des heures à lui humecter la bouche et à essayer de lui faire avaler des œufs brouillés. Il en était incapable, mais chaque fois que je le touchais, le bout de sa queue remuait un peu.

Vers 10 heures le troisième jour, je me suis arrêté à la maison pour recevoir l'installateur du téléphone. En passant la porte, j'ai presque été renversé par un chien massif et euphorique. Shep était rétabli.

Avec le temps, le chien galeux et affamé qui avait failli mourir dans mon salon, est devenu un bloc de muscles de 40 kilos, au poitrail massif recouvert d'une épaisse couche de fourrure noire. Souvent, quand l'ennui et la dépression m'assaillaient, Shep me remerciait du service rendu en m'inondant de son amitié sans bornes jusqu'à me faire sourire et commencer une partie enjouée de lancer du bâton.

En rétrospective, je comprends que Shep et moi nous sommes rencontrés au bas-fond de nos vies. Nous ne sommes plus des itinérants solitaires. Je dirais que nous avons trouvé notre place.

Joe Kirkup

Le sans-logis innocent

Peu importe que vous ayez peu d'argent ou que vous possédiez peu de choses, si vous avez un chien, vous êtes riche.

Louis Sabin

Le message griffonné à la hâte sur un carton chiffonné disait: **Sans le sou – besoin de nourriture pour chiens**. Un jeune homme à l'air désespéré tenait l'affiche d'une main et une laisse de l'autre en faisant les cent pas à une intersection achalandée du centre-ville de Las Vegas.

Un chiot husky d'au plus un an était attaché à la laisse. Un peu plus loin, un chien plus vieux de la même race était enchaîné à un lampadaire. Il hurlait dans la nuit froide qui tombait et sa plainte pouvait être entendue à plusieurs rues de là. C'était comme s'il connaissait le sort qui lui était réservé, car une affiche posée près de lui disait: **À vendre**.

Oubliant ma propre destination, j'ai fait demi-tour pour revenir rapidement vers le trio de sans-logis. Depuis des années, j'avais toujours de la nourriture pour chiens et pour chats dans le coffre de ma voiture pour les animaux errants ou affamés que je rencontrais souvent. C'était ma façon d'aider ceux que je ne pouvais adopter. Je m'en servais aussi pour attirer les chiens apeurés hors de la route. Je n'ai jamais hésité à aider les animaux dans le besoin.

Je me suis garée dans le stationnement le plus proche et j'ai pris un sac de deux kilos de nourriture pour chiens, un réservoir d'eau et un billet de vingt dollars dans ma bourse. Je me suis approchée avec précaution du jeune homme en haillons et de ses chiens malheureux. Si ce jeune homme avait de quelque façon maltraité ces créatures ou s'il les utilisait pour apitoyer les gens, ma colère exploserait. Le plus vieux des chiens regardait vers le ciel en gémissant pitoyablement. Au moment où j'allais les rejoindre, un camion s'est arrêté à leur hauteur et on a demandé au jeune homme combien il voulait pour son chien plus âgé.

«Cinquante dollars», a répondu l'homme sur le coin, avant d'ajouter rapidement, «mais je ne veux pas vraiment le vendre.»

«A-t-il ses papiers?»

«Non.»

«Est-il opéré?»

«Non.»

«Quel âge a-t-il?»

«Cinq ans. Je ne veux pas vraiment le vendre. J'ai juste besoin d'argent pour le nourrir.»

«Si j'avais cinquante dollars, je l'achèterais.» Le feu est passé au vert et le camion s'est éloigné.

L'homme a secoué la tête et continué à faire les cent pas, découragé. Quand il m'a vue venir dans sa direction, il s'est arrêté pour me regarder approcher. Le chiot a commencé à battre de la queue.

«Bonjour!» dis-je en m'approchant. Le jeune homme avait l'air doux et sympathique, et je voyais dans ses yeux qu'il vivait une crise profonde.

«J'ai de la nourriture pour tes chiens», dis-je. Étonné, il a pris le sac pendant que je posais l'eau devant eux.

«Vous avez aussi apporté de l'eau?» demanda-t-il, incrédule. Nous nous sommes agenouillés près du chien le plus vieux et le chiot m'a accueillie avec enthousiasme.

«Voici T.C., et celui-là s'appelle Chien. Moi, c'est Wayne.» Le plus vieux des chiens a cessé de gémir et regardé ce qu'il y avait dans la gamelle.

«Que s'est-il passé, Wayne?» lui ai-je demandé. Je me sentais indiscrète, mais il m'a répondu directement et simplement. «Je viens d'arriver ici de l'Arizona et je n'ai pas trouvé de travail. J'en suis rendu au point où je ne peux même pas nourrir mes chiens.»

«Où habites-tu?»

«Dans ce camion, là-bas», indiquant un vieux camion tout déglingandé garé un peu plus loin. Le véhicule était muni d'une longue plate-forme recouverte; ils pouvaient donc se protéger des éléments.

Le chiot s'était installé sur mes genoux. J'ai demandé à Wayne quel était son métier.

«Je suis mécanicien et soudeur, dit-il. Mais, il n'y a pas de travail dans ces domaines. J'ai cherché partout. Ces chiens sont ma famille. Je ne veux pas les vendre, mais je n'ai plus les moyens de les nourrir.»

Il répétait sans cesse qu'il ne voulait pas les vendre, mais qu'il ne pouvait plus les nourrir. Chaque fois qu'il disait cela, sa figure se crispait. C'était comme s'il était obligé d'abandonner un enfant.

Le moment m'a semblé propice pour lui donner le billet de vingt dollars, en espérant ne pas trop l'humilier. «Tiens. Achète-toi quelque chose à manger.»

«Merci, répondit-il sans me regarder. Je pourrai peut-être nous trouver une chambre pour la nuit.»

«Depuis quand es-tu ici?»

«Toute la journée.»

«Quelqu'un d'autre s'est-il arrêté?»

«Non, vous êtes la première.» La nuit tombait rapidement. Dans le désert, lorsque le soleil disparaît, le mercure descend sous les cinq degrés.

Mon esprit se mit à fonctionner rapidement en imaginant ces trois-là n'ayant pas mangé un seul repas aujourd'hui, sinon depuis plusieurs jours, qui passeraient de longues heures froides recroquevillés dans leur abri de fortune.

Des gens qui quêtent pour manger ne sont pas chose rare dans cette ville. Pourtant, cet homme se distinguait des autres, car il ne demandait pas de nourriture pour lui-même. Il s'inquiétait plus du sort de ses chiens que du sien. Cela m'a touchée profondément, moi qui suis la maîtresse de neuf chiens bien nourris et adorés.

Je crois que je ne comprendrai jamais ce qui m'a pris à ce moment-là. Je sais seulement qu'il fallait que je le fasse. Je lui ai demandé d'attendre mon retour dans quelques minutes. Il hocha la tête et sourit.

J'ai pris ma voiture et me suis rendue à l'épicerie la plus proche. Poussée par un sentiment d'urgence, j'ai couru et attrapé un panier. J'ai pris la première allée et je ne me suis pas arrêtée avant d'avoir parcouru tout le magasin. Les articles volaient des tablettes à mon panier. *Limite-toi à l'essentiel*, pensai-je. Des denrées qui dureront une semaine ou deux pour soutenir leur maigre existence. Du beurre d'arachide, de la gelée. Du pain. Des conserves. Des jus. Des fruits. Des légumes. De la nourriture pour chiens (20 kilos, pour être précis). Et des jouets à mâcher. Il leur faut des friandises aussi. Quelques autres choses essentielles et j'avais terminé.

«Au total, ce sera 152,92 $», dit le commis. Je n'ai pas réagi. Ma plume courait sur le chèque aussi vite que je pouvais écrire lisiblement. Peu importe si le paiement de l'hypothèque arrivait et que je n'avais pas cent cinquante dollars à dépenser. Rien ne comptait sauf donner de la nourriture à cette famille. Je m'étonnais de cette énergie et de ma décision irrésistible de dépenser cent cinquante dollars pour un parfait étranger. Par ailleurs, je me sentais la personne la plus chanceuse du monde. Mon cœur s'est rempli de gratitude parce que je pouvais donner à cet homme et à ses bêtes adorées un peu de ce que j'avais en abondance.

L'air de Wayne lorsqu'il me vit arriver avec toutes les provisions a été la cerise sur le gâteau: «Voici quelques provisions…», dis-je pendant que les chiens manifestaient leur intérêt. Pour ne pas le gêner, j'ai rapidement flatté les chiens.

«Bonne chance», dis-je en tendant la main.

«Merci et que Dieu vous bénisse. Je n'aurai pas à vendre mes chiens.» Son sourire éclaira la noirceur qui tombait.

Il est vrai que les humains sont plus complexes que les animaux. Il arrive pourtant qu'ils soient aussi faciles à comprendre. Wayne était une bonne personne, quelqu'un qui voyait un chien et pensait famille. À mon avis, un tel homme mérite d'être heureux.

Plus tard, à mon retour, j'ai fait un détour par cette rue. Wayne et les chiens n'y étaient plus.

Mais, ils sont demeurés longtemps dans mon cœur et dans mon esprit. Il est possible que je les revoie un jour. J'aime penser que tout a bien tourné pour eux.

Lori S. Mohr

Le petit chien perdu

Par la fenêtre du salon, je regardais Jay, notre fils de quinze ans, se traîner vers l'école. Je craignais qu'il ne se dirige à nouveau vers les champs enneigés à la recherche de Cricket, son beagle disparu. Au lieu de cela, il s'est retourné, m'a fait un signe de la main et a continué sa marche, les épaules basses.

Dix jours avaient passé depuis le samedi matin où Cricket n'était pas rentré de sa course dans les champs. Jay avait consacré tout l'après-midi à battre la campagne à la recherche de son chien. Au cours des premiers jours, un de nous courait parfois à la porte croyant avoir entendu un gémissement.

Mon mari, Bill, et moi étions certains que Cricket avait été tué par un chasseur ou une voiture. Jay refusait d'y croire. La veille, alors que je remplissais la mangeoire aux oiseaux, j'avais entendu les cris plaintifs de Jay en provenance des champs voisins. Quand il était rentré, les yeux pleins d'eau, il m'avait dit: «Maman, tu me trouveras peut-être idiot, mais j'ai parlé à Dieu de Cricket et je crois qu'il est toujours là quelque part.»

Même si Bill et moi allions régulièrement à l'église, nous nous étions souvent demandé d'où Jay tenait sa grande foi. Peut-être qu'à la suite du choc d'avoir perdu un grand frère qu'il aimait beaucoup, alors que Jay avait six ans, il s'était tourné vers le Seigneur et lui avait demandé de l'aide.

Je voulais prendre Jay dans mes bras et lui dire qu'on pourrait facilement avoir un autre chien. Mais je me souvenais trop bien du jour où, quatre ans plus tôt, nous lui avions acheté ce chiot noir, blanc et brun.

Les deux sont rapidement devenus inséparables et, si Cricket devait en principe coucher dans le garage, bientôt, nous l'avons trouvé béatement allongé au pied du lit de Jay.

Cependant, ce soir-là, j'ai dit à Jay qu'il ne fallait pas trop espérer. Il faisait froid et j'étais certaine qu'un animal égaré ne pourrait survivre.

Il m'a répondu: «Maman, je sais que cela te semblera impossible. Mais, Jésus a dit qu'un moineau ne tombe pas sans que Dieu le sache. Ne crois-tu pas que cela s'applique aussi aux chiens?»

Je n'ai pu rien faire d'autre que le serrer dans mes bras.

Le lendemain, après avoir déposé Jay à l'école, je me suis rendue à mon bureau d'agent immobilier où, dans l'agitation du travail, j'ai oublié le chien perdu.

À deux heures, le téléphone a sonné. C'était Jay. «Ils nous ont laissé partir tôt, maman, une réunion de profs. Je crois que je vais partir à la recherche de Cricket.»

Le cœur serré, je lui ai dit, tentant de dissimuler ma contrariété: «Jay, je t'en prie, ne te tourmente pas ainsi. La radio dit que le mercure descendra sous zéro et tu sais, il n'y a aucune chance de ...»

Il insista: «Maman, quelque chose me dit qu'il faut que j'essaie.»

«Vas-y!»

Après notre appel, il est parti dans les champs où il avait l'habitude d'aller avec Cricket. Il a marché près d'un kilomètre et a entendu des chiens aboyer au loin. Ils avaient l'air de beagles. Il s'est dirigé dans leur direction. Soudain, pour une raison inconnue, il s'est éloigné des aboiements.

Jay arriva bientôt à une voie ferrée. Il a entendu un train arriver et s'est arrêté pour le regarder passer. Il se demanda si les rails étaient chauds après le passage du train. Il s'est approché, les a touchés. Ils étaient glacés.

Ne sachant que faire, il lança quelques cailloux et décida de suivre la voie ferrée en direction des aboiements qu'il avait entendus plus tôt. En descendant de la voie, le vent s'est élevé et il a entendu des coups de feu de chasseurs au loin.

Soudain, le silence se fit. Quelque chose a dit à Jay de s'arrêter et d'écouter. Il a entendu une faible plainte venant d'une clôture à proximité.

Le cœur battant, Jay s'est précipité. Arrivé à la clôture, il a écarté les broussailles et il a trouvé Cricket, affreusement faible, la patte arrière prise dans la clôture. Ses pattes d'avant touchaient à peine le sol. La neige autour de lui avait été mangée. Elle l'avait empêché de mourir de soif. Même si sa patte arrière devait être opérée, Cricket survivrait.

Mon fils l'a porté jusqu'à la maison et m'a appelée, ravi. Étonnée, j'ai couru à la maison. Dans la cuisine, j'ai trouvé un Cricket amaigri dévorant la nourriture de son écuelle et un garçon de quinze ans délirant de joie à ses côtés.

Après avoir terminé, Cricket regarda Jay. Dans les yeux admiratifs du petit chien, j'ai vu la foi innocente qui l'avait supporté pendant ces jours pénibles, la confiance que son maître viendrait.

J'ai regardé mon fils qui, contre toute logique, avait été animé de la même foi innocente. Il avait ouvert son cœur et son âme à son Maître qui l'avait guidé vers Cricket.

Donna Chaney

La place de Pepper

L'amour ouvre le cœur et nous fait sentir plus grands en dedans.

Margaret Abigail Walker

Un matin, en mettant la clé dans la porte de notre petite animalerie, la sonnerie du téléphone se fit entendre. J'ai couru au téléphone pendant que mon mari recevait les salutations excitées des cacatoès, des canaris et des chiots. Il n'était pas rare de recevoir un appel dès l'ouverture, mais la voix du correspondant semblait différente. Elle était rauque et j'y ai décelé un air de tristesse. Mon interlocuteur âgé n'avait pas une question à me poser mais une histoire à me raconter.

L'homme expliqua: «Voyez-vous, ma femme et moi venons de nous attabler, seuls pour le petit-déjeuner. Nous avions un schnauzer qui s'appelait Pepper.» L'homme a continué à me raconter comment chaque jour, pendant seize ans, Pepper avait partagé leur petit-déjeuner pendant qu'ils prenaient le café et lisaient le journal. Il ajouta: «Il faisait partie de la famille.» Il était là quand le dernier enfant a quitté la maison. Il était là quand sa femme est tombée malade et a été hospitalisée. Pepper avait toujours été là, jusqu'à ce matin.

Il a poursuivi: «Le temps passe plus vite qu'on ne le pense et il n'est pas toujours bon pour nous.» Il semblerait que Pepper soit devenu sérieusement arthritique. Ils ont attendu à l'hiver, puis au printemps, ils ont attendu jusqu'à hier. Pepper souffrait constamment. Il fallait l'aider à sortir. L'homme et sa femme ne pouvaient plus le voir souffrir. Alors, ensemble, sa femme Ruth et lui, ils avaient pris la décision avec leur vétérinaire de «laisser partir Pepper».

Sa voix a craqué quand il a dit: «C'était le meilleur des chiens et aujourd'hui, c'est notre première journée seuls. Nous trouvons cela difficile.» Ils ne voulaient pas un autre chien. Aucun chien ne pourrait remplacer Pepper, mais ils étaient curieux. «Avez-vous des chiots schnauzer? Des mâles? De chiots schnauzer mâles poivre et sel?»

Je lui ai dit que nous avions en effet deux chiots schnauzer mâles, poivre et sel. «Vous en avez?» dit la vieille voix incrédule. Non pas qu'ils puissent jamais remplacer Pepper. De plus, «Ruth a un rendez-vous et nous ne pourrons donc pas venir ce matin.» Nous avons raccroché après nous être dit au revoir.

Le magasin s'emplissait de gens et bientôt, l'image de Pepper et de sa famille aimante a été chassée par l'activité intense de servir la clientèle et de répondre aux besoins d'attention de nos pensionnaires.

Au milieu de l'avant-midi, nous étions toujours très occupés lorsque deux vieux messieurs sont entrés. J'ai reconnu un des hommes sur-le-champ. Sa figure, triste et hâlée, ressemblait à la voix que j'avais entendue plus tôt au téléphone.

Il se présenta. «Je suis Bill, dit-il. Ruth est allée à son rendez-vous.» Il ajouta que son voisin et lui avaient décidé de faire un tour (55 kilomètres) et s'étaient «retrouvés ici par hasard». Une fois ici, ils se demandaient s'ils pouvaient juste jeter un coup d'œil aux chiots schnauzer.

Je leur ai apporté les deux chiots. Ils battaient de la queue et agitaient leurs corps rondelets en se poursuivant et en s'accrochant dans nos pieds. Ils avaient leur air «amène-moi à la maison» lorsque le voisin de Bill dit, en prenant un des chiots: «Je me demande bien comment tu peux n'en prendre qu'un seul?» Il l'a remis par terre et nous avons continué à les regarder s'amuser.

Bill hésitait à en prendre un. Il a finalement succombé à celui qui s'était amoureusement étendu à ses pieds en mâchouillant ses lacets. Il l'a pris avec la tendresse et l'émerveillement d'un jeune papa prenant son premier-né et l'a serré contre lui.

Il a dit au chiot: «Vois-tu, je ne peux te ramener à la maison. Ruth nous jetterait probablement dehors tous les deux.» Mais une fois dans ses bras, Bill ne pouvait se résoudre à déposer le petit chien par terre. Nous avons parlé de la température, de ses enfants, des nôtres, et finalement, comme dans toute conversation polie, il n'y avait plus rien à dire. Il fallait faire face à l'inévitable. Bill regardait attentivement les chiots en disant: «Ruth ne sera certainement pas d'accord. Non, elle ne sera pas très heureuse.»

Nous observions Bill regarder les chiots tour à tour. Enfin, en hochant la tête, il demanda avec un sourire: «Si j'apporte celui-ci à la maison et que Ruth nous met dehors, auriez-vous une place dans une niche pour nous ce soir?» Sa décision prise, j'ai accompagné Bill et son chien au comptoir pendant qu'on retournait son petit frère à sa cage en attente d'une nouvelle chance d'être adopté.

Le petit frère n'était jamais resté seul et il nous a fait savoir très clairement qu'il n'appréciait pas son nouveau statut d'enfant unique. Au comptoir, Bill regardait le chiot qui montrait son déplaisir de rester seul et dit: «Il n'est pas bon d'être seul.»

Bill a payé son achat et il est parti avec son voisin en tenant affectueusement le chiot dans ses bras. Nos sourires et nos félicitations les ont accompagnés à la porte.

Heureux, nous avons repris nos tâches quotidiennes en pensant à ce vieux couple qui apprécierait le nouveau chiot.

Quelques minutes plus tard, la porte s'ouvrit. C'était Bill qui hochait la tête. «Nous étions en route et je n'ai tout simplement pas pu...», dit-il d'une voix gênée. «Il n'est pas bon de rester seul. Ruth fera une colère noire et il est certain que j'aurai besoin de votre niche ce soir, mais je prends le petit frère aussi. Il n'est pas bon de rester seul!»

La journée s'est terminée comme elle avait commencé. Le téléphone sonna. C'était Bill et Ruth. Ils nous appelaient pour dire que Bill n'aurait pas besoin de la niche. Il ajouta: «Ruth adore les petits. J'ai pris la meilleure décision de ma vie, du moins par moi-même, quand j'ai décidé de les prendre tous les deux.»

Le mois dernier, nous avons eu des nouvelles de Bill et des «petits». La voix de Bill était joyeuse et souriante. «Les petits sont magnifiques et commencent à aimer les toasts et les œufs. Pepper a laissé un très grand vide. C'est pourquoi il en a fallu deux.»

Dawn Uittenbogaard

Un chaton est le bouton de rose du jardin du monde animal.

Robert Southey

J'aime les chats car j'aime ma maison et, peu à peu, ils en deviennent l'âme visible.

Jean Cocteau

2

LES LEÇONS DES BÊTES

La puissance repose sur la sagesse
et la compréhension du rôle de chacun
dans le Grand Mystère, et dans la grâce de
tirer une leçon de tout ce qui vit.

Jamie Sands et David Carson

Le cadeau de Subira

Faites ce que vous pouvez, avec ce que vous avez, où que vous soyez.

Theodore Roosevelt

À vingt-cinq kilomètres au nord de Los Angeles se trouve Shambala, une réserve zoologique protégée. L'endroit rappelle l'Afrique, par sa beauté pure, avec d'énormes pierres brunes disposées en affleurements rocheux dispersés au hasard sur la réserve. Shambala, un mot sanskrit qui signifie «un lieu de réunion dans la paix et l'harmonie pour toutes les créatures, animales et humaines», est un sanctuaire pour les lions et autres grands félins. Niché dans la grandeur impressionnante du Canyon Solelad de Californie, le site est tout simplement époustouflant.

Un jour, un petit groupe de jeunes venant d'un centre de réadaptation du voisinage était en visite à Shambala. Une gentille dame, l'actrice Tippi Hedren, fondatrice de Shambala, se plaça devant l'enclos d'un guépard. «Elle s'appelle Subira», dit Tippi, rayonnante. «Elle a trois ans et n'a même pas atteint sa taille adulte. N'est-elle pas magnifique?»

Comme dans un scénario bien rodé, Subira a tourné la tête et regardé la foule. Les lignes noires qui se dessinaient de ses yeux à sa bouche étaient si nettes qu'elles semblaient avoir été fraîchement peintes pour l'occasion. De même, les mouchetures noires sur la toile de fond de son dos de dense fourrure beige étaient si éclatantes que tous étaient portés à dire à l'unisson: «Oooooh, regardez-la, elle est magnifique!» C'était aussi mon avis.

Tippi, une de mes amies, m'avait invitée ce jour-là. J'étais assise dans la première rangée des sièges réservés aux visiteurs. Nous regardions tous avec une admiration teintée de respect, sauf un adolescent dans la dernière rangée. Il a poussé un grognement qui semblait traduire l'ennui ou le mécontentement. À la vue des nombreuses personnes du groupe qui regardaient dans sa direction, il a essuyé le devant de son T-shirt, comme pour enlever la poussière et, dans un geste macho étudié pour nous impressionner, il a roulé la manche droite de sa chemise, exposant davantage des muscles bien développés.

Tippi a poursuivi, ignorant l'interruption du garçon. «Le guépard est l'animal le plus rapide sur terre, a-t-elle ajouté. N'est-ce pas, mon trésor?» a-t-elle demandé d'une voix douce et enjouée, en regardant par-dessus son épaule l'animal superbe étendu sur une longue branche basse d'un énorme chêne.

Soudainement, comme s'il était dégoûté de toute forme de tendresse, le garçon dans la rangée arrière s'est moqué: «La belle affaire. Un gros chat maigre et tout tacheté qui court vite. Et après! Au suivant! Qu'on sorte les tigres stupides ou ce que vous voudrez, et qu'on en finisse!» Les autres membres du groupe, gênés, se sont retournés vers le garçon et lui ont jeté un regard désapprobateur.

Tippi a aussi regardé le garçon, mais n'a fait aucun commentaire. Le guépard s'en est chargé. Regardant dans la direction de l'adolescent, le guépard a aussitôt commencé à crier joyeusement.

Profitant de ce signal, Tippi a dit au groupe: «Les guépards émettent des sons distinctifs. Un son heureux se différencie par un piaillement distinct, comme celui que vous venez d'entendre. Quand un guépard a faim, il émet une vibration gutturale, et pour "crier gare" il fait un bruit qui ressemble à un bourdonnement aigu sur deux notes. Comme vous pouvez l'entendre maintenant, elle est très heureuse. En fait, je crois qu'elle vous aime bien», ajouta-t-elle, en regardant directement le garçon.

«Ouais, ouais, ça va! Elle m'aime bien», ironisa le garçon avec sarcasme. À nouveau, Tippi a ignoré la remarque désagréable. Je ne pouvais pas m'empêcher de me demander ce qui avait pu rendre ce garçon si en colère et si malveillant.

Tippi a cédé sa place à un jeune assistant pour la période de questions et réponses, et elle m'a fait signe de quitter les lieux avec elle. Tout en marchant, nous nous sommes retournées pour observer le groupe et nous avons alors vu le jeune malin à la langue bien pendue d'un autre angle. Le garçon, au torse musclé sous un T-shirt moulant, était assis nerveusement dans un fauteuil roulant. Une jambe de pantalon vide, repliée, pendait à côté de sa jambe restante, chaussée d'un soulier de tennis.

Cory, âgé de dix-sept ans, avait rêvé de faire partie un jour des ligues majeures de baseball. C'était son seul et unique but dans la vie. Il mangeait et respirait pour le baseball, et rêvait du jour où il aurait des admirateurs qui le reconnaîtraient comme «l'homme». Personne ne mettait en doute le talent de Cory, certainement pas ce recruteur-chef, responsable de découvrir des jeunes talents dans les universités de l'État. Le recruteur avait choisi Cory, confirmant un futur prometteur. C'était avant l'accident d'automobile. Aujourd'hui, il semble que rien ne puisse remplacer la joie qui a disparu quand le garçon a perdu sa jambe.

Cory a perdu plus qu'une jambe dans le tragique accident ; il a aussi perdu l'espoir. Et le courage. Il est devenu non seulement handicapé physiquement, il a aussi eu le cœur estropié. Incapable de rêver à autre chose qu'être joueur de baseball dans les ligues majeures, il était amer et blasé, et il se sentait tout simplement inutile. Désespéré. Maintenant, il était dans son fauteuil roulant, hargneux et en colère contre la planète. Il était là aujourd'hui pour une autre de ces «visites ennuyeuses» organisées par le programme de réadaptation.

Cory était l'un des patients les plus difficiles du centre de réadaptation: incapable de trouver le courage de faire de nouveaux projets pour l'avenir, il avait perdu confiance, non seulement en lui-même mais aussi en les autres.

«Laisse-moi tranquille», avait-il dit au directeur de l'établissement. «Tu ne peux pas m'aider. Personne n'en est capable.»

Tippi et moi avons continué à rôder aux alentours pendant que le guide du groupe continuait à parler: «Les guépards ne se nourrissent jamais de charogne ; ils mangent de la viande fraîche – même si, en captivité, ils se nourrissent comme les humains!»

La charogne? Ce mot a semblé intéresser le garçon – ou peut-être avait-il une connotation perverse. Le jeune homme déplaisant a crié: «Qu'est-ce que cela veut dire?»

«Des cadavres, des corps morts, des restes humains», a répondu le jeune assistant.

«Le guépard ne mange pas les morts sur la route», a crié le garçon avec un sourire affecté. La voix rauque du garçon semblait plaire au guépard et il s'est mis à ronronner très fort. L'auditoire, ravi de ce joyeux bruit de Subira, a manifesté son contentement par des Oh! et des Ah!

Heureuse de la réponse positive, et toujours prête à jouer la vedette, Subira a décidé de donner à son auditoire un aperçu de ses talents. Comme pour dire: «Voyez à quelle vitesse ces taches peuvent aller», Subira a immédiatement commencé à courir comme une déchaînée dans l'enclos. «Oh!» a soupiré la foule, «elle est tellement belle.»

«Elle n'a que trois pattes!» a constaté quelqu'un.

«Non!» s'est exclamé la fille sur la rangée avant, alors que les autres jeunes gens du groupe, étonnés, regardaient en silence, consternés de ce qu'ils voyaient.

Personne n'était plus surpris que Cory. Confondu devant cet animal incroyable qui courait à pleine vitesse, il a posé la question que chacun avait en tête: «Comment peut-elle courir aussi vite avec trois pattes?» Étonné des mouvements en apparence si naturels du guépard, le garçon a murmuré: «C'est incroyable. Vraiment incroyable.» Il a fixé le bel animal avec une patte en moins et il a souri, un rayon d'espoir très présent dans ses yeux.

De l'endroit où nous étions derrière le groupe, Tippi a dit: «Comme vous l'avez tous remarqué, Subira est très spéciale. Puisque personne ne lui a jamais dit qu'elle ne devrait pas, ou ne pourrait pas, courir aussi vite qu'un guépard à quatre pattes, elle ne connaît pas la différence. Donc, elle peut.»

Tippi s'est arrêtée un moment et s'est retournée vers Subira pour poursuivre: «Nous l'aimons, tout simplement. Subira est un exemple vivant, un symbole, de ce que Shambala représente: reconnaître la valeur de toute créature vivante, même si, pour quelque raison, elle est différente.»

Le garçon écoutait Tippi en silence et avec intérêt: «Nous avons pris Subira dans un zoo de l'Oregon. Son cordon ombilical était entouré autour de sa jambe dans l'utérus et elle s'est atrophiée, occasionnant la perte de sa patte peu après sa naissance. Avec seulement trois pattes, son avenir semblait sombre. On avait pensé l'endormir.»

Surpris, Cory a demandé: «Pourquoi?»

Tippi a regardé directement Cory pour répondre: «Parce qu'ils se disaient, "Quelle est l'utilité d'un guépard à trois pattes?" Ils ne croyaient pas que le public voudrait voir un guépard déformé. Donc, puisqu'on pensait qu'elle ne pourrait pas courir et se comporter comme un guépard normal, elle ne valait rien.»

Elle a ajouté: «C'est alors que nous avons entendu parler de Subira et que nous lui avons offert notre sanctuaire, où elle pourrait vivre aussi normalement que possible.

«Peu après son arrivée, elle nous a montré ses vraies couleurs – un don unique d'amour et de bonnes dispositions. Vraiment, nous ne savons pas ce que nous aurions fait sans elle. Au cours des quelques dernières années, le cadeau de Subira a ému les gens autour du monde ; elle ne parle pas, mais elle est devenue notre porte-parole la plus convaincante. Bien qu'elle ait été rejetée parce qu'imparfaite, elle a créé sa propre valeur. Elle est véritablement un cadeau des plus précieux.»

Abandonnant toute ironie, Cory a demandé doucement: «Est-ce que je peux la toucher?»

De voir Subira courir a allumé le cœur et l'esprit de Cory. Son attitude a complètement changé. De même que son désir de participer. À la fin de la visite, le chef du groupe a demandé un volontaire pour pousser et tenir ouverte la large barrière afin de permettre à la camionnette de sortir du ranch. À la surprise générale, Cory a levé la main.

Pendant que les autres membres du groupe regardaient avec étonnement, le garçon a dirigé lui-même son fauteuil roulant près de la grande barrière et, péniblement, il a tenté de l'ouvrir en se levant de sa chaise. Agrippant le fil de fer le plus haut de la clôture pour se tenir, il l'a poussée. Son expression, en continuant de tenir la barrière jusqu'à ce que le camion passe, était un bonheur à voir. Et sa détermination. Il était évident que Cory avait reçu le cadeau de Subira.

Bettie B. Youngs, Ph.D., Ed.D.

La vedette du rodéo

Pendant ma tendre jeunesse à Niagara Falls, New York, je passais mon temps à l'hôpital, victime de sérieuses crises d'asthme. À l'âge de six ans, les médecins ont informé mes parents qu'à moins de déménager sous un climat plus sain, j'allais mourir. C'est ainsi que ma famille a déménagé dans un petit village dans les montagnes près de Denver. C'était joli, mais très isolé. Dans les années 1950, il y avait beaucoup plus d'animaux que d'humains à Conifer, Colorado.

Pour nous, les enfants, c'était le paradis. Dan, mon frère aîné, et moi prenions de la nourriture et des sacs de couchage, nos deux chevaux et notre chien, et allions camper pour le week-end dans les vastes étendues tout autour de chez nous. Nous avons vu beaucoup d'animaux sauvages lors de nos voyages dont des ours, des lynx et même quelques rares couguars. Nous avons appris à nous taire et à observer respectueusement la nature autour de nous. Un jour, je me souviens être arrivé face à face avec l'énorme museau d'un wapiti. Je suis demeuré immobile jusqu'à ce que le wapiti s'éloigne. Bien intégrés à notre environnement, chevauchant pendant des jours entiers, nous nous considérions de véritables hommes des montagnes. Mes parents savaient que, tant que les chevaux et le chien étaient avec nous, nous étions en sécurité et nous rentrerions toujours à la maison.

Je me souviens que Dan, de trois ans mon aîné et plus fort que moi, me dépassait en tout. Je voulais gagner à tout prix. Je voulais tellement être la vedette pour une fois.

J'avais huit ans quand papa a ramené un cheval nommé Chubby à la maison. Son propriétaire avait subi une attaque cardiaque et devait cesser de monter. Il croyait que nous prendrions bien soin de Chubby et a offert gratuitement à mes parents ce hongre de 16 ans.

Chubby était un cheval plutôt petit, de couleur anthracite. Il avait été champion de rodéo de trois États. Fort, intelligent et éveillé, il avait beaucoup de cœur et toute la famille l'adorait. Évidemment, Dan a eu le premier choix des chevaux et je fus contraint à monter Stormy, un cheval plus lent et plus paresseux. Chubby était peut-être trop fringuant pour un garçon de huit ans, ce qui ne m'empêchait pas d'envier mon frère et de souhaiter que Chubby devienne mon cheval.

À cette époque, mon frère et moi participions chaque année aux gymkhanas des Clubs 4-H avec nos chevaux. L'année de mes neuf ans, je me suis beaucoup entraîné à la course de barils en vue des concours de l'année. Mais Stormy était un cheval à la démarche lourde et malgré l'entraînement, je savais que c'était peine perdue. Poussé par la passion profonde de gagner, j'encourageais Stormy et je m'initiais aux manœuvres subtiles de contournement des barils et du retour à la ligne d'arrivée.

Le jour du gymkhana, mon frère aîné m'a fait la surprise de m'offrir de monter Chubby pour la course de barils. J'étais fou de joie et d'excitation. Enfin, je pourrais peut-être gagner!

En montant sur Chubby, j'ai eu l'impression que je vivrais une course de barils très différente de celle à laquelle je m'étais préparé. Il fallait se battre pour que Stormy décide de se mettre à marcher et continuellement la stimuler pour qu'elle continue. En attendant le signal du départ, Chubby était fringuant, aux aguets, et de toute évidence, il avait hâte de courir. Au signal, Chubby bondit comme une fusée sans m'avertir et j'ai eu peine à m'accrocher. Nous avons fait le tour des barils et franchi la ligne d'arrivée en un éclair. Je sentais encore une poussée d'adrénaline quand je suis descendu de cheval, entouré par ma famille qui criait de joie. J'ai gagné le ruban bleu par une marge énorme.

Le soir, je me suis couché épuisé par l'excitation et la gloire de la journée. Pourtant, j'étais mal à l'aise. Qu'avais-je fait pour mériter cette première place? Ma seule réponse était que j'avais réussi à m'agripper pour ne pas tomber, ce qui m'aurait humilié, et Chubby aussi. C'était le cheval qui avait gagné ce ruban, pas moi. J'ai regardé le ruban accroché à l'abat-jour de ma lampe et je me suis senti honteux.

Le lendemain, je me suis levé tôt. Je me suis habillé et j'ai filé en douce vers l'écurie. J'ai accroché le ruban au mur de la stalle de Chubby et je lui ai flatté le cou pendant que je sentais son museau qui fouillait mes poches à la recherche des cubes de sucre qu'il adorait. C'est à ce moment que j'ai compris. Ce cheval n'avait que faire des rubans, bleus ou autres. Il préférait quelque chose qu'il puisse manger. La veille, Chubby avait couru non pas pour gagner, mais parce qu'il aimait courir. Il aimait vraiment les défis et le plaisir de jouer.

Animé d'un nouveau respect, j'ai rempli un seau d'avoine, sa céréale favorite, et je l'ai laissé manger pendant qu'avec son étrille, je lui donnais un bon brossage. Ce cheval m'avait permis d'avoir mon ruban bleu, mais surtout, Chubby m'avait appris ce que voulait dire l'expression «se consacrer corps et âme à quelque chose».

Le cœur maintenant léger, j'ai juré que d'ici la fin de ses jours, Chubby serait récompensé en monnaie de cheval: de l'avoine, du sucre, un bon brossage, la chance de courir et... beaucoup d'amour.

Larry Paul Kline

Ce qu'on peut apprendre d'un chien

1. Ne ratez jamais l'occasion de faire une virée.
2. Vivez l'extase de l'air frais et du vent qui vous fouette le visage.
3. Lorsque ceux que vous aimez rentrent à la maison, courez toujours vers eux pour les accueillir.
4. Lorsqu'il y va de votre intérêt, faites toujours preuve de docilité.
5. Avertissez les autres lorsqu'ils envahissent votre territoire.
6. Faites des siestes et étirez-vous toujours avant de vous lever.
7. Courez, gambadez et jouez à chaque jour.
8. Mangez avec délectation et enthousiasme.
9. Soyez loyal.
10. Ne prétendez jamais être ce que vous n'êtes pas.
11. Si ce que vous cherchez est enterré, creusez jusqu'à ce que vous le trouviez.
12. Lorsque quelqu'un passe un mauvais moment, gardez le silence, assoyez-vous tout près et blottissez-vous doucement contre lui.
13. Savourez le plaisir de prendre une longue marche.
14. Appréciez l'attention qu'on vous accorde et laissez les gens vous toucher.
15. Évitez de mordre quand un simple grognement suffit.

16. Les jours de canicule, buvez beaucoup d'eau et étendez-vous à l'ombre d'un arbre.
17. Lorsque vous êtes heureux, sautez de joie et bougez tout votre corps.
18. Peu importe combien de fois on vous critique, ne tombez pas dans le piège de la culpabilité et ne boudez pas. Retournez en courant vous faire des amis.

Auteur inconnu

Les plaisirs de la course

Depuis trois générations, tous les hommes de ma famille ont été médecins. C'était notre métier. J'ai eu mon premier stéthoscope à six ans. J'ai entendu les histoires des vies que mon grand-père et mon père ont sauvées, des bébés qu'ils ont mis au monde, des nuits à veiller des enfants malades. On m'a montré où serait mon nom sur la plaque de laiton à la porte du bureau. Ainsi, la vision de mon avenir était gravée dans ma tête.

Mais j'allais bientôt entrer au collège et il m'est apparu que l'idée de devenir médecin n'était pas gravée dans mon cœur. Une des raisons est que je réagissais aux situations très différemment de mon père. Je le voyais sortir péniblement du lit à trois heures du matin pour aider un enfant qui avait attrapé une pneumonie, parce que ses parents ne l'avaient pas amené plus tôt au bureau. Je les aurais réprimandés, mais mon père ne l'aurait jamais fait. «Les parents veulent tellement que leurs enfants soient en santé qu'ils refusent parfois d'admettre qu'ils sont réellement malades», disait-il avec indulgence. Puis, il y a eu des moments terribles, comme l'enfant de dix ans mort du tétanos. Je n'aurais pas pu y faire face.

Ce qui me troublait le plus était ma peur de ne pas être à la hauteur de l'image du fils que mon père désirait. Je n'osais pas lui parler de mes doutes et j'espérais trouver une solution par moi-même.

Avec ce dilemme qui me pesait beaucoup, l'été avant mon entrée au collège, on m'avait lancé un défi qui, je l'espérais, aurait été une distraction. Un patient avait donné à mon père un chiot setter anglais en guise d'honoraires. Papa gardait des chiens de chasse à la ferme, et je les entraînais. Comme d'habitude, papa m'a confié le chien.

Jerry était un chiot d'environ dix mois, plein de bonne volonté. Comme beaucoup d'autres setters, son pelage était surtout blanc, avec quelques taches rouges. Ses oreilles rouges étaient par contre trop écartées sur sa tête, de sorte qu'il ressemblait à un bouffon. Le regarder suffisait à me donner une envie de rire, ce dont j'avais bien besoin. Il obéissait aux commandements de base: assis, reste, couché, marche. Son seul problème était «ici». Une fois dans l'herbe longue, il aimait s'y promener. Je l'appelais et lui donnais un bip sur le sifflet d'entraînement. Il se retournait et me regardait, puis filait son chemin.

Une fois ses séances d'entraînement terminées, je m'assoyais avec lui sous un vieux chêne et nous parlions. Je lui répétais ce qu'il devait savoir, et parfois je parlais de moi.

«Jerry, lui disais-je, je n'aime tout simplement pas être autour des gens malades. Que ferais-tu à ma place?» Jerry s'assoyait sur son arrière-train et me regardait directement dans les yeux, tournant la tête de gauche à droite, essayant de comprendre ce que je disais. Il était tellement sérieux que j'éclatais de rire et j'oubliais mes soucis.

Un jour, après le repas du soir, je l'ai emmené dans la prairie pour courir. Nous avions franchi environ 100 mètres dans l'herbe qui m'allait aux genoux lorsqu'une hirondelle, à la recherche d'insectes à la tombée du jour, a frôlé la tête de Jerry, qui est resté cloué sur place. Après quelque temps, il a poursuivi l'hirondelle. L'oiseau volait bas, zigzaguant de l'avant à l'arrière, taquinant et jouant, provoquant chez Jerry une envie irrésistible de courir. L'oiseau l'entraînait près de l'étang et le ramenait près de la clôture du pré, comme pour le défier de le suivre. Soudain, il s'est envolé très haut dans les airs. Jerry a fixé le ciel pendant un temps, puis a couru vers moi tout haletant, plus content de lui-même que jamais.

Les jours suivants, j'ai remarqué que son intérêt pour la chasse diminuait à mesure que son enthousiasme pour la course augmentait. Il courait dans le gazon, aussi vite qu'un animal sauvage. Je savais quand il avait flairé une caille, car il faisait alors un petit signe de tête en la dépassant. Il savait ce qu'il devait faire, mais il ne le faisait pas. Quand il revenait finalement, épuisé et les yeux rouges, il se couchait par terre avec une telle expression de satisfaction qu'il m'était difficile de l'engueuler.

Je reprenais depuis le début. Pendant quelques minutes, il écoutait sagement. Puis, il volait le foulard dans ma poche arrière et se mettait à courir à travers le champ, le nez au vent, les pattes à son cou. Courir était pour lui une forme de gloire. Malgré mon vif désir de bien l'entraîner, je commençais à éprouver un étrange sentiment de joie à le voir courir.

Jamais je n'avais raté mon coup avec un chien; mais là, c'était un échec. En septembre, j'ai dû finalement avouer à papa que son chien ne pourrait pas chasser.

«Bon, le cas est réglé, dit-il. Nous devrons le châtrer et l'offrir à quelqu'un du village comme animal de compagnie. Un chien qui ne fait pas ce qu'il est censé faire ne vaut pas grand chose.»

J'avais peur que Jerry perde son caractère en devenant un chien de compagnie. Le jour suivant, j'ai eu une longue conversation avec Jerry sous le chêne. «Cette manie de courir te perdra, lui ai-je dit. Ne peux-tu juste pointer les oiseaux et courir?» Au son de ma voix, il m'a regardé par-dessous les paupières, comme il le faisait quand il avait honte. Alors, je me suis senti triste. Je me suis couché et il s'est étendu près de moi, sa tête sur ma poitrine. Les yeux fermés, je lui grattais les oreilles en pensant désespérément à son problème et au mien.

Tôt le samedi suivant, papa a emmené Jerry pour observer par lui-même le comportement du chien. Au début, Jerry a travaillé comme un professionnel. Papa m'a regardé bizarrement, comme si je lui avais menti au sujet de Jerry.

C'est à ce moment précis que le chien est parti.

«Mais, pour l'amour du ciel, qu'est-ce qu'il fait?»

«Il court, lui ai-je répondu. Il aime courir.»

Et Jerry courait. Il courait le long de la clôture, sautait par-dessus, et penchait son corps en un arc étonnant. Il courait avec facilité et grâce, comme s'il faisait partie du paysage, de la lumière et de l'air.

«Ce n'est pas un chien de chasse, c'est un chevreuil!» dit mon père. J'étais là, debout, regardant mon chien échouer l'épreuve la plus importante de sa vie, quand papa a mis sa main sur mon épaule pour dire: «Nous devons nous rendre à l'évidence, il ne réussira pas.»

Le jour suivant, après avoir fait mes bagages pour l'école, j'ai marché jusqu'au chenil pour dire adieu à Jerry. Il n'était pas là. Je me demandais si papa l'avait déjà amené au village. J'étais malheureux à l'idée que nous avions tous deux échoué. Mais quand je suis retourné à la maison, à mon grand soulagement, papa lisait dans sa chaise près du foyer, Jerry dormant à ses pieds.

Au moment où j'entrais, mon père a fermé son livre et m'a regardé. «Mon fils, je sais que ce chien ne fait pas ce qu'il devrait, mais il fait quelque chose de magnifique. Le voir agir est une inspiration pour l'homme.»

Il continuait à me regarder fixement. Pour un moment, j'ai senti qu'il pouvait voir au plus profond de mon cœur: «Ce qui rend tout être vivant digne de vivre, c'est qu'il soit ce qu'il est, et qu'il le sache. Qu'il le sente dans toutes les fibres de son corps.»

J'ai respiré un bon coup. «Papa, ai-je répondu, je crois que je ne peux pas être médecin.»

Il a baissé les yeux, comme s'il entendait enfin ce qu'il craignait tant. Son regard était si triste que j'ai cru que mon cœur se briserait. Mais quand il m'a regardé à nouveau, il avait un air que je n'avais jamais vu.

«Je sais cela, dit-il gravement. J'en ai été vraiment convaincu quand je t'ai vu avec cette andouille de chien. Tu aurais dû te voir quand il s'est mis à courir.» En imaginant son énorme désappointement, j'ai eu une forte envie de pleurer. J'aurais tant voulu avoir en moi ce qu'il fallait pour le rendre heureux. «Papa, dis-je, je m'excuse.»

Il m'a regardé attentivement. «Mon fils, je suis déçu parce que tu ne seras pas médecin, c'est évident. Mais je ne suis pas déçu de *toi*.

«Pense à ce que tu as essayé de faire avec Jerry, ajouta-t-il. Tu t'attendais à ce qu'il devienne le chasseur pour lequel tu l'as entraîné. Mais ce n'est pas le cas. Comment te sens-tu face à cela?»

J'ai regardé Jerry qui dormait, ses pattes qui s'agitaient par saccades. Il semblait courir même dans ses rêves. «Pendant quelque temps, j'ai pensé que j'avais échoué, ai-je répondu. Mais quand je l'ai regardé courir avec tant de joie, je me suis probablement dit qu'il valait quand même quelque chose.»

«Il *vaut* quelque chose», a répliqué papa. Il m'a regardé intensément. «Il nous reste maintenant à attendre pour voir comment *tu* cours.»

Il m'a donné une tape sur l'épaule, m'a souhaité bonne nuit et est parti. À ce moment, j'ai compris mon père comme jamais auparavant, et l'amour que je ressentais pour lui semblait envahir la pièce. Je me suis assis par terre près de Jerry et je l'ai gratté sous les omoplates.

«Je me demande aussi comment je vais courir», lui ai-je murmuré. «Je me le demande vraiment.»

Jerry a levé la tête légèrement, m'a léché la main, s'est étiré les jambes, puis il est reparti vers ses joyeux rêves.

W.W. *Meade*

La leçon de vie des inséparables

Récemment, mon mari et moi nous promenions dans le centre commercial local vers l'heure de fermeture. Nous avons décidé d'entrer pour visiter l'animalerie. En passant près des cages de caniches, poméraniens, chats et tortues, nous avons aperçu quelque chose de charmant: un couple d'inséparables au plumage de pêche.

Contrairement à d'autres couples d'inséparables, celui-ci avait l'air d'être vraiment «en amour». Pendant que nous les regardions, ils n'ont cessé de se lover et de se cajoler. Au cours des jours suivants, j'ai souvent pensé à ces deux magnifiques oiseaux. J'admirais leur dévotion et leur présence m'inspirait.

Il semble que ces oiseaux aient fait le même effet à mon mari, car un soir, il est rentré tard du travail avec une cage élégante dans laquelle se trouvaient les deux précieuses créatures. Il les a présentées comme de nouveaux membres de la famille.

Pendant des jours, nous nous sommes creusé la tête pour leur trouver un nom. Nous avons pensé à Ricky et Lucy, George et Gracie et même à Wilma et Fred. Finalement, nous avons opté pour Ozzie et Harriet pour nous rappeler les jours plus simples lorsque l'amour et l'unité dans les couples n'étaient pas seulement un vœu mais un mode de vie.

C'est dans cet esprit que j'ai observé ces inséparables et retenu les observations suivantes sur la vie et l'amour:

1. Quand on passe trop de temps à se regarder dans le miroir, on risque de tomber de son perchoir.
2. Ayez toujours l'air de bonne humeur, même si votre cage a besoin d'être nettoyée.
3. Si votre partenaire veut partager votre perchoir, faites-lui une place.
4. Les vrais cadeaux de la vie ne viennent habituellement qu'après avoir cassé quelques écales.
5. Il faut être deux pour se blottir l'un contre l'autre.
6. Il arrive que votre partenaire voie sur vous des puces dont vous ignoriez la présence.
7. On attire plus l'affection en chantant qu'en criant.
8. C'est seulement lorsque vos plumes deviennent hérissées que l'on peut voir vos vraies couleurs.
9. Trop de jouets peuvent distraire.
10. Quand l'amour est dans votre cœur, tous ceux qui vous fréquentent connaissent la joie.

Vickie Lynne Agee

3

BÊTES GUÉRISSEUSES

Aucun psychiatre
au monde
ne peut remplacer
un chiot qui vous lèche le visage.

Bern Williams

Le don du courage

Le courage, c'est... accepter sans broncher ce que le ciel nous envoie.

Euripide

Mark devait avoir onze ans. Il était maigrichon et semblait amorphe, quand sa mère et lui ont amené Mojo à la clinique où je travaillais. Des vêtements amples cachaient son corps frêle et, sous sa casquette, des yeux bleus défiaient le monde. Il faudrait de toute évidence gagner la confiance de Mark avant de toucher à son chien. Mojo devait avoir neuf ans à l'époque, un âge avancé pour un Labrador retriever noir, mais pas assez vieux pour ne plus vouloir jouer. Pourtant, depuis quelque temps, Mojo avait perdu son entrain.

Mark écoutait attentivement pendant que le vétérinaire examinait son chien. Il a répondu aux questions et en a posé d'autres tout en jouant nerveusement avec une mèche de cheveux blonds qui dépassait de sa casquette. «Mojo guérira, n'est-ce pas?» lança-t-il alors que le vétérinaire se préparait à sortir. On ne pouvait en être sûr et quand les résultats des tests de sang sont revenus du laboratoire, les soupçons du vétérinaire ont été confirmés. Mojo souffrait d'une maladie progressive des reins et du foie, éventuellement fatale. Cependant, il pourrait vivre confortablement pendant quelque temps, mais il lui faudrait un régime spécial, des examens réguliers et des médicaments.

Le vétérinaire et moi savions que leur situation financière n'était pas rose, mais dès qu'on leur a suggéré l'euthanasie, la mère de Mark a lancé: «Il n'est pas question d'endormir Mojo.» En silence, ils ont rapidement acquitté leur facture et ont doucement mené leur chien à la voiture sans se retourner.

Nous n'avons pas eu de leurs nouvelles pendant quelques semaines. Puis, un jour, ils étaient là. Mojo avait maigri. Il avait été malade, selon eux, et manquait d'énergie. Alors que je m'apprêtais à emmener Mojo dans la salle de consultation pour une intraveineuse, le petit corps de Mark m'a bloqué le chemin.

«Je dois aller avec lui, il a besoin de moi», dit le garçon d'une voix ferme.

J'ignorais comment le garçon réagirait à la vue du sang et des seringues, mais il n'était pas question de discuter. En fait, Mark s'est comporté comme s'il avait vu cela des centaines de fois.

«Tu es un vieux chien brave, Mojo», murmura Mark au moment où le cathéter pénétrait dans la veine de Mojo. Rarement patient fut-il plus coopératif. Mojo a seulement bougé un peu la tête pendant la partie la plus inconfortable du traitement, comme pour nous rappeler sa présence. Il semblait tirer sa force de la petite main qui flattait continuellement sa gorge de manière rassurante.

La routine s'installa. Nous stabilisions Mojo et le retournions à la maison. Puis, la maladie reprenait le dessus et il revenait. Mark était toujours là, posait des questions et nous rappelait de faire attention; mais avant tout, il réconfortait et encourageait son vieil ami.

Je me demandais si Mark trouvait la situation trop difficile. Chaque fois que je lui suggérais d'attendre en dehors de la salle de consultation, il disait non. Mojo avait besoin de lui.

Un jour, j'ai parlé à la mère de Mark pendant qu'il était dans l'autre pièce avec Mojo. «Vous savez que la condition de Mojo se détériore. Pendant combien de temps voudrez-vous continuer le traitement? Il semble que Mark trouve cela très difficile.»

La mère de Mark a hésité pendant un moment avant de se pencher vers moi et me dire d'une voix basse et sérieuse: «Mojo est avec nous depuis la naissance de Mark. Ils ont grandi ensemble et Mark l'aime sans limite. Mais ce n'est pas tout.»

Elle prit une longue respiration et détourna son regard pendant un moment. «Il y a deux ans, on a diagnostiqué une leucémie chez Mark. Il suit des traitements et on nous dit qu'il a une chance de s'en sortir. Mais il ne parle jamais de sa maladie. Il subit ses analyses et ses traitements comme si cela ne le regardait pas, comme si ce n'était pas vrai. Pourtant, quand il s'agit de Mojo, il pose des questions. C'est important pour Mark et tant qu'il le désirera, nous continuerons à nous battre pour Mojo.»

Au cours des semaines suivantes, nous avons souvent revu le trio tranquille. Les questions et les remarques brusques de Mark, qui nous avaient autrefois indisposés, prenaient un nouveau sens. Nous lui expliquions en détail chacune des procédures lors de leur exécution. Nous nous demandions combien de temps Mojo pourrait survivre. Rarement avions-nous vu un patient aussi stoïque et avec un aussi bon caractère. Pourtant, le Labrador était maintenant terriblement maigre et faible. À la clinique, nous nous demandions tous comment Mark réagirait à l'inévitable.

Un jour, Mojo s'est effondré avant son rendez-vous habituel. C'était un samedi et ils sont arrivés en toute hâte dans la salle d'attente remplie. Nous avons apporté Mojo dans l'arrière-salle et l'avons installé confortablement sur une couverture. Mark était à ses côtés comme toujours. J'ai quitté la salle pour aller chercher quelque chose et à mon retour, j'ai vu Mark devant la fenêtre, les poings sous les aisselles et des larmes qui coulaient sur son visage. Je suis ressortie en silence de la pièce pour éviter de le gêner. Il avait été si brave jusqu'à maintenant.

Plus tard, à notre retour, ses yeux étaient secs. Il était à genoux à côté de Mojo. Sa maman s'est assise près de lui et lui a serré les épaules. «Alors, comment ça va?» demanda-t-elle.

«Maman», dit-il, ignorant sa question, «Mojo va mourir, n'est-ce pas?»

«Oh! chéri....» Sa voix était brisée par l'émotion. Mark a poursuivi comme si elle n'avait rien dit.

«Je veux dire, les liquides et les pilules ne peuvent plus l'aider, n'est-ce pas?» Il s'est tourné vers nous pour chercher une confirmation. «Alors, je crois...» dit-il en avalant sa salive, «je crois que nous devrions l'endormir.»

Fidèle à lui-même, Mark est resté aux côtés de Mojo jusqu'à la fin. Il a posé des questions pour s'assurer que c'était vraiment la meilleure chose à faire pour Mojo, et que son vieil ami n'aurait ni peur ni mal. Sans arrêt, il a caressé la tête lustrée jusqu'à ce qu'elle se pose sur ses genoux une dernière fois. Au moment où Mark a senti le dernier souffle s'échapper des maigres côtes de Mojo, il a semblé oublier notre présence. Pleurant sans retenue, il s'est penché sur le corps inanimé de Mojo et a enlevé sa casquette. J'ai sursauté en reconnaissant les effets de la chimiothérapie, si durs sur ce jeune visage. Nous l'avons laissé à son chagrin.

Mark ne nous avait jamais parlé de sa propre maladie ou de ses émotions pendant l'épreuve de Mojo. Quand sa mère a téléphoné quelques mois plus tard pour s'informer sur un chiot qu'elle se proposait d'acheter, je lui ai demandé comment il allait.

«Vous savez, dit-elle, ce fut terriblement difficile pour lui; mais depuis la mort de Mojo, Mark a commencé à parler de sa maladie, à poser des questions et à tenter d'en apprendre plus à son sujet. Je crois que le fait de s'être occupé de Mojo, pendant la maladie du chien, a donné à Mark la force de se battre pour lui-même et le courage d'affronter sa propre souffrance.»

J'ai toujours cru que Mark avait été brave pour Mojo. Pourtant, lorsque je me rappelle ces yeux calmes et confiants, cette queue qui battait doucement peu importe la douleur, je crois que c'était peut-être Mojo qui a été brave pour Mark.

Roxanne Willems Snopek Raht

Le chaton magique

Espèce de virgule dorée de chat,
Tu sautes pour attraper le seul fil
Qui dépasse de ma robe
Et tu finis enroulé dans mon cœur.

Lija Broadhurst

Un soir, après une réunion, j'étais très fatiguée. J'avais hâte de rentrer à la maison et de me coucher. En approchant de ma voiture, j'ai entendu *miaou, miaou, miaou...* En regardant sous la voiture, j'ai vu un minuscule chaton qui tremblait et pleurait près du pneu.

Je n'ai jamais aimé les chats. J'aime les chiens, et c'est bien ainsi. J'ai passé mon enfance avec des chiens et les chats m'agaçaient. Ils me donnent la chair de poule. Je n'aimais pas aller dans des maisons où il y avait des litières. Je me demandais si leurs résidents faisaient semblant d'ignorer cette horrible odeur.

De plus, les chats semblaient se retrouver partout, surtout leurs poils. J'étais un peu allergique aux poils de chat. Inutile de dire que de toute ma vie, je n'ai jamais fait un détour pour un chat.

Pourtant, quand je me suis agenouillée et ai vu cette petite chatte rousse apeurée qui miaulait à fendre l'âme, quelque chose en moi m'a dit de tenter de la prendre. Elle s'est sauvée. Je me suis dit *Bon, ça va, j'ai essayé.* Mais en montant dans ma voiture, j'ai entendu la chatte qui miaulait de nouveau.

Ce miaulement pathétique m'a touché le cœur et je me suis retrouvée de l'autre côté de la rue à courir après elle. Je l'ai trouvée, elle s'est sauvée. Puis, je l'ai retrouvée, elle s'est encore sauvée de moi. Le manège se répéta encore et encore. Pourtant, je ne pouvais l'abandonner. Finalement, je l'ai attrapée. Dans mes bras, elle semblait si petite, si maigre et tout à fait adorable. Et elle a cessé de miauler!

Contrairement à ce que j'aurais fait normalement, je l'ai amenée dans la voiture avec moi. La petite chatte a paniqué, criant et courant à toute vitesse partout dans la voiture jusqu'à ce qu'elle vienne se blottir sur moi, bien entendu. Je ne savais que faire d'elle et pourtant, je me suis sentie obligée de l'emmener chez moi. En roulant vers la maison, je me demandais comment réagirait ma compagne d'appartement qui était très allergique aux chats.

Je suis arrivée chez moi très tard, j'ai déposé la petite chatte sur la pelouse et je lui ai donné du lait. J'espérais presque qu'elle aurait disparu le matin venu. Le lendemain, elle était toujours là. Je l'ai donc emmenée au travail avec moi.

Par chance, mon patron est très sympathique, particulièrement avec les animaux. Une fois, nous avons gardé un moineau blessé pendant des semaines en attendant qu'il se rétablisse. Toute la journée, j'ai cherché quelqu'un qui l'adopterait. Malheureusement, tous les amis des chats affichaient complet.

Je ne savais toujours pas quoi faire avec la chatte et je l'ai donc emmenée faire des courses en quittant le bureau. Elle a paniqué de nouveau dans la voiture et cette fois, elle s'est terrée sous le siège. Mon dernier arrêt de l'après-midi était chez mes parents.

On avait récemment découvert que mon père souffrait d'un cancer de la prostate. Il avait suivi des traitements d'hormones et le médecin était confiant d'avoir arrêté la progression du cancer. Du moins, pour le moment. J'allais donc souvent à la maison.

Cet après-midi-là, devant la maison de mes parents, alors que je tentais d'extirper la chatte de dessous la banquette, elle est sortie en trombe de la voiture pour se cacher dans les arbustes du voisin. Il y a beaucoup d'arbustes dans ce quartier et après l'avoir cherchée pendant quelque temps, j'ai conclu que c'était peine perdue. Un peu triste, je me suis dit qu'il y avait beaucoup de familles avec de jeunes enfants dans le quartier. *Quelqu'un la trouvera sûrement et lui donnera un bon foyer.*

En toute franchise, je me sentais soulagée car je ne savais que faire d'elle. En quittant mes parents, je leur ai dit de m'appeler si la chatte revenait chez eux et que je viendrais la chercher. En blaguant, j'ai dit à mon père:

«Évidemment, tu pourrais toujours la garder, si le cœur t'en dit.» Il m'a répondu: «Jamais de la vie.» J'ai supposé que papa n'était pas intéressé aux animaux, surtout aux chats.

Ce soir-là, il y avait un message de mon père sur mon répondeur. La chatte s'était bien retrouvée sur leur perron! Il disait que la chatte était dans la maison, qu'elle allait bien, mais pourrais-je venir la reprendre le lendemain?

Mon cœur s'est serré. *Que ferais-je de cette chatte?* Je n'aurais pas le cœur de l'amener à la fourrière et j'étais certaine que ma colocataire n'avait pas envie de se retrouver à l'hôpital pour une crise d'asthme causée par la chatte. Je ne trouvais pas de solution.

Le lendemain, j'ai appelé mon père pour lui dire que je passerais chercher la chatte. À ma grande surprise, il m'a dit de ne pas me presser. Il avait acheté une litière (oh, non!), de la nourriture pour chats et un petit bol. J'étais étonnée et je l'ai remercié de sa générosité.

Il m'a ensuite dit que cette chatte était tout un numéro et m'a raconté comment elle avait couru partout dans la maison très tard la nuit précédente. J'écoutais, bouche bée. La crème sur le gâteau est venue quand il m'a dit que «Kitty» était montée se coucher sur sa poitrine alors qu'il était étendu. Je lui ai demandé: «Tu l'as laissée faire?»

«Bien sûr. Je l'ai flattée et j'ai senti son petit moteur ronronner», m'a-t-il répondu avec amour. «Alors, chérie, ne te presse pas. Je peux la garder jusqu'à ce que tu lui trouves un foyer.»

J'étais estomaquée. Mon père, Seymour, Monsieur «Foutez-moi-ces-chiens-dehors!», avait un chat qui ronronnait sur sa poitrine. De surcroît, dans son propre lit!

Papa dépérissait à mesure que le temps passait. Son cancer progressait de nouveau. Pourtant, chaque fois que je parlais à papa, il me disait de plus en plus à quel point Kitty était adorable, comment elle courait partout, combien fort son moteur ronronnait et comment elle le suivait partout. Quand j'étais à la maison, papa appelait la chatte, la faisait monter sur lui, la câlinait, lui parlait et lui disait combien il l'aimait.

Un jour, alors qu'il remettait son mouchoir dans sa poche après quelques éternuements tonitruants, je lui ai dit: «Papa, n'es-tu pas allergique aux chats?» Il a haussé les épaules et souri d'un air embarrassé.

Il devenait de plus en plus malade et ne pouvait se déplacer sans d'atroces douleurs. Une des seules joies qui lui restaient était d'avoir Kitty sur lui. Il la flattait et disait: «Écoute comment son moteur ronronne. Bonne Kitty, bonne Kitty.» Nous regardions avec étonnement papa manifester son affection inébranlable pour le petit félin.

Kitty a été magique pour papa et pour moi. Elle a charmé une personne qui résistait aux animaux, et elle est devenue une des seules sources de réconfort de papa pendant ses derniers jours.

Quant à moi, Kitty m'a permis de voir les merveilles et les mystères que la vie nous dévoile. Elle m'a appris à écouter mon cœur, même quand ma tête disait non. Ce soir-là, je n'ai pas compris que je n'étais que la messagère. Celle qui, sans le savoir, apportait un ami magnifique dont on avait besoin.

Lynn A. Kerman

Thérapie à dos de cheval

Un matin, allongée dans mon lit, je regardais les moineaux becqueter à la mangeoire près de ma fenêtre, puis battre des ailes et s'envoler. Victime de sclérose en plaques, une maladie qui détruit le contrôle musculaire, je pouvais à peine lever la tête. *J'aimerais m'envoler avec vous,* pensais-je tristement. À trente-neuf ans, il me semblait que ma vie joyeuse était finie.

J'ai toujours aimé la vie en plein air. Mon mari, Dan, et moi aimions prendre de longues marches près de notre domicile de Colorado Springs. Pourtant, dès la mi-vingtaine, j'avais mal aux articulations après nos marches. Je croyais que ce n'étaient que des muscles endoloris.

La maternité, rendue possible par l'adoption de Jenny, onze ans, et Becky, treize ans, m'a épanouie. Pourtant, bien que j'aie voulu être une mère extraordinaire, je devais m'écraser sur le divan au retour de mon travail comme thérapeute par le jeu, trop fatiguée pour aider les filles à faire leurs devoirs. Je croyais qu'il était épuisant d'être une mère qui travaille à l'extérieur.

Un matin, je n'ai pu soulever la cafetière: je ne sentais plus mon bras. *Que m'arrive-t-il?,* pensai-je, alarmée. Un médecin m'a prescrit un antidouleur pour une bursite, un autre croyait que c'était une tendinite.

Un jour, alors que je marchais avec mes filles, mes jambes ont lâché.

«Maman, que t'arrive-t-il ?» s'inquiéta Becky, maintenant âgée de dix-sept ans.

«Je dois être très fatiguée», dis-je en riant, ne voulant pas ennuyer les filles. J'étais tout de même très inquiète. Dan a insisté pour que je voie un neurologue.

«Vous souffrez de sclérose en plaques», me dit-il.

Tout ce qui me venait à l'esprit, c'était une phrase que j'avais déjà entendue: «La sclérose en plaques handicape les jeunes adultes.» *Je vous en prie, pas ça!,* me dis-je, angoissée. Retenant mes larmes, je lui ai demandé: «Ça deviendra grave?»

«On ne peut le dire, a-t-il répondu doucement. Par contre, plus tard, vous pourriez avoir besoin d'un fauteuil roulant.»

Malgré les efforts de Dan pour me consoler, cette nuit-là, je n'ai pu dormir. *Comment pourrai-je m'occuper de moi et de ma famille?*

Pendant les semaines et les mois qui ont suivi, cette question angoissante m'a hanté l'esprit. Un peu plus tard, je ne pouvais marcher qu'en barrant un genou et en poussant ma jambe vers l'avant avec les muscles de la hanche. À d'autres moments, mes jambes s'engourdissaient, ne réagissaient plus. Petit à petit, j'ai perdu le contrôle de mes mains jusqu'à ce que je puisse à peine bouger les doigts.

«Ça ira, maman, nous pouvons aider», disaient les filles. Et elles ont tenu parole.

Pourtant, *je* voulais m'occuper d'*elles*. Au lieu de cela, je pouvais à peine m'habiller et laver quelques assiettes le matin avant de tomber épuisée dans mon lit.

Le matin où je regardais les oiseaux en souhaitant moi aussi m'envoler, j'avais le cœur triste. Je perdais espoir.

Puis, Dan est entré, les yeux brillants. «Chérie, dit-il, je viens d'entendre quelque chose d'étonnant à la radio.» Un centre équestre des environs offrait ce qu'on appelle la thérapie par l'équitation. Il semblait que cette technique aidait à soulager bien des maladies, dont la sclérose en plaques.

«Je pense que tu devrais essayer», dit-il.

Une thérapie par l'équitation? Cela me semblait impossible. Pourtant, enfant en Iowa, j'adorais monter à cheval. *Même si ça ne servait qu'à me sortir du lit, ça vaudrait la peine d'essayer.*

«Je vais m'écraser par terre», dis-je en riant quelques jours plus tard au moment où Dan m'aidait à me déplacer avec mes cannes à l'écurie. Il a fallu m'aider à monter à cheval; mais quand j'ai pris les rênes et commencé à me déplacer dans l'enclos, mon corps s'est détendu.

«C'est magnifique !» me suis-je exclamée. À la fin de ma promenade, j'ai dit à Dan que j'avais hâte de recommencer.

Chaque fois que je montais à cheval, mes hanches me semblaient plus souples et mes épaules plus détendues. Je savais qu'il se passait quelque chose. À la maison, je ne me sentais plus désespérée. J'ai constaté avec plaisir que je n'étais plus toujours épuisée.

Un après-midi, j'ai dit à un bénévole du centre équestre que j'aimerais monter sans selle, comme au temps de mon enfance. Au galop dans le pâturage, les cheveux au vent, j'ai pensé : *Pour la première fois depuis des années, je me sens libre* !

Puis, comme Dan m'aidait à descendre de cheval, j'ai senti qu'il se passait quelque chose.

«Je sens mes jambes à nouveau», ai-je dit à Dan d'une voix entrecoupée. Dan m'a regardé lever la jambe et la redescendre facilement et doucement.

Il m'avait fallu trente minutes pour me rendre de ma voiture à l'écurie avec l'aide de mes cannes. Il m'en a fallu trois pour le voyage de retour, et Dan portait les cannes!

«Tu as réussi!» s'est-il exclamé. Des larmes de joie me sont montées aux yeux.

Quelque temps après, mes filles sont revenues du collège pour une visite. J'ai marché vers elles pour les embrasser.

«Maman, qu'est-ce qui t'arrive!» a crié Becky. Le cœur débordant de joie, je leur ai expliqué comment les chevaux m'avaient guérie. Mon médecin ne peut expliquer pourquoi la thérapie par l'équitation est efficace. Tout ce que je sais, c'est que ça marche.

Aujourd'hui, mes symptômes ne se manifestent presque pas en autant que je monte à cheval au moins trois fois par semaine.

Chaque matin, je m'emmitoufle et je pars pour une longue marche rapide. Je sens la joie monter en moi en respirant l'air frais de la montagne. Je suis reconnaissante à Dieu de m'avoir redonné ma vie.

Sherri Perkins, tel que raconté à Bill Holton.
Extrait de Woman's World Magazine

Les belles années

Mon meilleur ami, Cacao, et moi habitons un complexe résidentiel pour personnes âgées dans une charmante petite localité. Cacao est un caniche de 10 ans et je suis une femme de soixante-neuf ans, ce qui fait de nous des citoyens de l'âge d'or.

Il y a longtemps, je me suis promis qu'à la retraite je me procurerais un caniche chocolat pour me tenir compagnie. Dès le départ, Cacao a été exceptionnellement sage. Je n'ai jamais eu à lui répéter quoi que ce soit. Il est devenu propre en trois jours et il ne s'est jamais mal conduit. Il est très ordonné – quand il prend ses jouets dans sa boîte, il les remet toujours en place quand il en a fini. On m'a toujours accusée d'être obsédée par l'ordre. Je me demande parfois s'il m'imite ou s'il est né ainsi, lui aussi.

Il est un superbe compagnon. Lorsque je lui lance la balle, il l'attrape dans sa gueule et me la relance. Parfois, nous jouons à un jeu qui remonte à mon enfance, mais je n'avais jamais joué à ce jeu avec un chien. Il pose sa patte sur ma main, je la couvre de mon autre main, il met son autre patte dessus, je retire ma main du dessous et je couvre sa patte, ainsi de suite. Il fait toutes sortes de pitreries qui me font rire; et ravi, il continue à faire le clown. J'adore sa compagnie.

Il y a bientôt deux ans, Cacao a fait quelque chose qui dépasse l'entendement. Miracle, coïncidence? À tout le moins, un mystère.

Un après-midi, alors que j'étais par terre en train de jouer avec lui, Cacao s'est comporté étrangement. Il a commencé à donner des coups de patte et à flairer mon sein droit. Il n'avait jamais fait cela auparavant et je lui ai dit: «Non!»

Habituellement, il me suffit de le dire une seule fois, mais pas ce jour-là. Il s'est arrêté brièvement; puis, soudain, il s'est élancé vers moi de l'autre bout de la pièce et s'est jeté de tout son poids – huit kilos – sur le côté droit de ma poitrine. Sous le choc, j'ai crié de douleur. Il m'a semblé que cela n'aurait pas dû faire si mal.

Quelque temps après, j'ai senti une bosse. J'ai vu mon médecin; et après avoir pris une radiographie, fait des tests et des analyses, il m'a annoncé que j'avais un cancer.

Pour une raison encore inconnue, au début d'un cancer, il se forme une paroi de calcium. Puis la masse ou le cancer s'attache à cette paroi. Lorsque Cacao m'a frappée, le choc a fait que la masse s'est détachée de la paroi de calcium. Cela m'a permis de la sentir. Avant cet incident, je ne l'avais pas remarquée et j'ignorais qu'elle était là.

On m'a fait une mastectomie complète et le cancer ne s'est pas répandu ailleurs. Les médecins m'ont dit que si le cancer était demeuré caché pendant six mois de plus, il aurait été trop tard.

Cacao savait-il ce qu'il faisait? Je ne le saurai jamais. Ce que je sais par contre, c'est que je suis heureuse de m'être promis de passer mes années de retraite avec ce magnifique caniche chocolat. Car non seulement Cacao partage-t-il sa vie avec moi, mais il s'est assuré que je serais là pour partager la mienne avec lui!

Yvonne A. Martell

Nager avec les dauphins

Deux ans et demi après deux sérieuses attaques, les médecins et thérapeutes m'ont dit: «C'est le mieux que vous pourrez faire.» La plupart des victimes d'attaques vivent cela, à un moment ou un autre. Les patients et leur entourage finissent par croire qu'il en sera ainsi. Quand on m'a annoncé cela, je n'avais que quarante-quatre ans, hémiplégique, privée de l'usage de mon bras et de ma jambe gauches. Je me suis dit que j'étais chanceuse d'être en vie et mon mari, mes enfants, mes parents et moi nous sommes adaptés émotionnellement au fait que je passerais le reste de mes jours diminuée physiquement. Je leur étais reconnaissante pour leur support moral.

J'ai résisté aux paroles du médecin. Pourtant, d'une certaine manière, ce diagnostic me convenait. Je savais parfaitement ce que je pouvais faire et ne pas faire. Ma vie était confortable. Ni aventureuse, ni joyeuse, mais confortable.

Je n'étais donc pas préparée lorsque mes parents déménagèrent en Floride et m'annoncèrent d'un ton animé qu'ils avaient repris contact avec nos anciens voisins d'il y a vingt-cinq ans.

«Les Borguss ont fondé un centre éducatif de recherche sur les dauphins à Key Largo», m'a dit ma mère. «Lloyd Borguss t'invite à venir nager avec les dauphins!»

Je savais bien que cela faisait de bien beaux documentaires, mais cela me rendait très inconfortable. Quand j'ai compris que mes parents insistaient pour que j'accepte, j'ai eu une peur bleue. Jamais!

«De quoi as-tu peur, Rusty?» m'a demandé Lloyd Borguss au téléphone. «C'est de l'eau de mer. Tu ne peux couler. Nous travaillons avec des quadraplégiques. Tu es seulement hémiplégique.» (C'était la première fois qu'on me disait «seulement»). Il m'a expliqué qu'il croyait que les survivants de ce genre d'attaques devaient se stimuler avec de nouvelles expériences pour repousser leurs limites apparentes. Il a fini par me convaincre et mes parents ont décidé de m'accompagner.

Je n'ai pas à me mettre à l'eau si je ne le veux pas, me disais-je.

J'ai passé un après-midi à Dolphins Plus et regardé ces mammifères surdoués interagir avec les visiteurs qui venaient les étudier ou nager avec eux. J'ai été impressionnée par le travail des thérapeutes et des dauphins avec des enfants handicapés. Ne pouvais-je pas être impressionnée en spectatrice tout en restant à l'écart dans mon fauteuil roulant?

Il n'en est pas question! Cette réponse est venue de Lloyd, de mes parents et, subitement, de moi-même. Il me fallait dépasser les limites que j'avais acceptées. Je n'avais plus d'excuses. J'ai accepté les trois séances qu'on me proposait et j'ai juré de faire de mon mieux.

Le lendemain matin, je suis montée sur une espèce de plate-forme avec mon fauteuil roulant juste au-dessus de la surface de l'eau. Deux moniteurs m'ont soulevée pour me déposer sur le tapis. Ils ont mis des palmes à mes deux pieds, pas question de repos pour le «mauvais» pied. Ensuite, ils m'ont soutenue pendant que la plate-forme descendait dans l'eau. Puis, à moitié submergée mais toujours sur la plate-forme, ils m'ont mis un masque et un tuba et m'ont soutenue pendant que nous descendions ensemble dans l'eau. Lloyd avait raison, je ne calais pas.

J'ai passé la plus grande partie de ma première séance à m'habituer à l'eau et à faire connaissance avec ma thérapeute, Christy. Le masque était inconfortable, je l'ai donc retiré assez rapidement. J'ai plutôt flotté sur le dos, je me suis laissée aller jusqu'à ce que mes oreilles soient sous l'eau. Je pouvais entendre les dauphins sous moi. Christy m'a expliqué qu'ils «scannaient» mon corps avec leur sonar, un bruit rapide et cliquetant semblable à des plombs qui frapperaient un bloc évidé. Soudain, un dauphin m'a effleurée. Il m'a déstabilisée et je me suis crispée. J'avais peur de me noyer.

«Donnez-vous l'objectif de passer plus de temps sur le ventre, a dit Christy. Ainsi vous pourrez regarder les dauphins à travers le masque tout en nageant.»

J'étais abattue de me retrouver si impuissante dans l'eau. Franchement, je n'avais plus qu'un objectif: sortir!

Christy m'a suggéré: «Essayons autre chose avant la fin de la séance. Agrippez-vous à ces tiges flottantes et étendez vos bras. Vous pourrez ainsi nager avec les palmes sans avoir besoin de vos bras.»

On m'a incitée à prendre la barre à deux mains. J'ai protesté, disant que ma main gauche serait inutile. Mais lorsque j'ai regardé, j'ai vu que mes doigts, placés par Christy autour de la barre, la tenaient bien. Pour la première fois depuis mes attaques, mon bras paralysé faisait à nouveau partie de mon corps. Mon bras avait retrouvé sa raison d'être!

La première séance a duré une demi-heure. Je m'attendais à être épuisée. Au contraire! Après avoir mangé et pris un peu de repos, j'étais prête à faire un nouvel essai avec mes nouvelles connaissances.

Cet après-midi-là, ma confiance était nettement plus grande quand je suis entrée dans l'eau pour ma deuxième séance. Christy m'avait trouvé un masque mieux ajusté; et cette fois-ci, j'ai pu flotter de plus en plus longtemps sur le ventre, mes deux bras sur la barre flottante me permettaient de me garder en équilibre.

Le fait d'être avec les dauphins me motivait. Maintenant que je pouvais les voir, j'aimais leur présence à mes côtés. J'étais étonnée de la douceur de ces énormes créatures. Ce qui m'a le plus frappée, c'était l'acceptation totale qui émanait d'eux. Ils n'ont jamais été trop entreprenants et ne semblaient pas avoir peur de moi non plus. Sûrement, ils adaptaient leur énergie à la mienne, comme s'ils comprenaient ce que je ressentais. Leur attention me vivifiait et j'ai particulièrement aimé les échanges avec celui qui s'appelait Fonzie. Tous les dauphins étaient enjoués, tournant et culbutant sans effort dans l'eau. Pourtant, à plusieurs reprises, j'aurais pu jurer que j'ai vu un sourire illuminer les yeux de Fonzie. J'ai souri moi aussi.

Mes compagnons de jeu m'ont tellement captivée que je me sentais très à l'aise dans l'eau. Vers la fin de la séance, j'ai demandé à ma mère, qui nous regardait, si ma jambe gauche obéissait à mes «ordres» de bouger. Excitée, elle m'a fait signe de regarder moi-même. Je me suis retournée et j'ai vu que ma jambe bougeait. Il s'agissait d'un mouvement restreint, mais cela signifiait que mon cerveau et ma jambe communiquaient de nouveau. Je me sentais remplie de joie.

À la fin de la séance, j'aurais pu jurer que Fonzie arborait un large sourire, comme pour partager avec moi sa contribution à mes succès.

De retour à ma chambre, je me sentais tellement débordante d'énergie que je ne pouvais rester en place. L'ancienne moi aurait voulu rester confortablement dans la sécurité de la chambre, mais je voulais maintenant sortir, humer le vent. À ma grande surprise, une fois dehors, je me sentais toujours agitée. Je voulais plus que sentir la brise, je voulais descendre vers la baie.

J'ai dirigé mon fauteuil roulant vers l'eau. *Mon cerveau et ma jambe communiquent!*, me répétais-je sans cesse. Si je pouvais nager, il n'y avait plus rien à mon épreuve.

Tu crois vraiment ce que tu dis?, me suis-je demandée. La réponse a fusé, indubitable: *Oui!*

Sans reprendre mes esprits, je me suis arrêtée et levée de mon fauteuil roulant. La baie était à un bon 100 mètres, et il fallait emprunter un chemin de pierre raboteux. J'ai pris ma canne à quatre pieds et je me suis mise à marcher.

Un peu plus tard, mes parents qui passaient par-là ont trouvé mon fauteuil roulant abandonné le long de la route. Pris d'une peur bleue, ils se sont précipités, s'inquiétant de l'état dans lequel ils me trouveraient.

Imaginez leur surprise quand ils m'ont trouvée en train de marcher, la tête haute, en m'émerveillant de la beauté des lieux. Ils ont ramené le fauteuil vide pendant que je retournais à ma chambre en marchant. Je n'avais jamais marché aussi loin depuis mes attaques. Je me sentais comme si je venais de gagner le marathon de Boston!

La troisième séance avec les dauphins a été bien meilleure que la deuxième. J'ai découvert que ma jambe affectée bougeait de plus en plus et que je parvenais à contrôler les spasmes de mes membres, ce qui m'avait causé des problèmes au cours des séances précédentes. Le haut fait de cette séance est survenu lorsque Fonzie a fait la course avec moi, alors que Christy me tirait autour de la piscine. Elle s'est exclamée: «Tu vois? Je savais que tu réussirais!»

Je n'ai pas eu peur non plus lorsque plusieurs dauphins sont venus se frotter à moi gracieusement. Christy m'a expliqué que c'était leur façon de s'assurer que je me sentais la bienvenue. Je ne pouvais croire que j'avais eu peur de ces superbes créatures. Leur acceptation et leur esprit enjoué ont rouvert mon cœur aux plaisirs qu'on peut attendre de la vie. Je me sentais renaître.

Après mes trois séances, je suis revenue dans ma famille. Je débordais d'énergie et d'enthousiasme et j'avais maintenant plus confiance en moi et en mes capacités physiques. J'avais repris le contrôle de mes membres que nous avions tous condamnés.

Il n'y avait pas d'explication médicale à cette amélioration, mais elle était réelle. Qui plus est, le progrès s'était fait sentir à un autre niveau. Parce que les dauphins m'avaient acceptée sans restriction, je pouvais maintenant mieux m'accepter et m'aimer telle que j'étais. Avoir osé dépasser mes peurs et mes limites a changé de façon profonde mon attitude face à la vie.

Depuis, j'ai acheté une bicyclette adaptée que j'utilise régulièrement. Je me suis aussi inscrite à des cours d'équitation et à un programme spécial de voile pour les personnes handicapées.

J'ai décidé de ne plus m'imposer de limites. Chaque fois que j'ai envie de céder à la peur ou de rester confortablement dans mon coin, je vois le sourire de Fonzie qui m'encourageait à dépasser les limites que mes médecins avaient diagnostiquées. Ils avaient dit: «C'est le mieux que vous pourrez faire.» Je suis heureuse que les dauphins ne les aient pas écoutés.

Roberta (Rusty) VanSickle

Il y a un écureuil dans mon café!

Toute personne a deux jambes et un sens de l'humour. À choisir, il est préférable de perdre une jambe.

Charles Lindner

Notre maison, près de Jacksonville, Floride, est un véritable zoo. Ma femme et moi voulions que nos jumeaux de sept ans acquièrent le même amour de la nature et des bêtes que nous avions quand nous étions enfants.

Nous avons des tortues terrestres et des tortues de mer, des serpents, des iguanes, des grenouilles, des lapins et Scooter, un Yorkie d'attaque de deux kilos. Pendant quelque temps, nous avons même gardé un bébé tatou qui s'était égaré. Pourtant, quand Rocky s'est installé chez nous, notre maisonnée et toute notre vie ont changé dramatiquement.

Ayant fait carrière comme pilote dans la Marine, j'étais à la maison me rétablissant d'une forme rare, invisible mais mortelle, de cancer de la peau, qui avait demandé une chirurgie importante. J'avais vraiment besoin d'une bonne dose d'humour dans ma routine quotidienne. Rocky était le traitement tout trouvé. Sauf que ce traitement a été prescrit par un vétérinaire et non par un oncologue!

John Rossi est notre vétérinaire local. Quand quelqu'un s'est présenté à sa clinique avec un minuscule bébé écureuil volant qui était tombé hors du nid, John et sa femme, Roxanne, se sont dit que si un bébé écureuil volant ne pouvait aider un patient cancéreux dans son rétablissement, rien ne le pourrait.

Dès son arrivée, Rocky a fait partie des meubles. Il ressemblait à une petite boule de poussière comme on en retrouve dans la penderie de la chambre d'amis lors du ménage du printemps. Il n'était pas plus gros qu'une noix et ne pesait certainement pas plus. Ses yeux venaient à peine de s'ouvrir et il se nourrissait d'un mélange de lait et d'eau dans une petite bouteille pour poupées. Il bougeait à peine et sa fourrure était huileuse, comme celle des «greasers» des années 1950. Avec ses yeux noirs, protubérants, il ressemblait à un aviateur. Nos jumeaux qui venaient tout juste de regarder un ancien épisode de la bande dessinée *Rocky and Bullwinkle* l'ont immédiatement nommé Rocky.

Il a rapidement grandi pour atteindre bientôt sa taille adulte, celle d'un pain de savon. À mesure qu'il a appris à faire sa toilette, sa fourrure est devenue d'un brun soyeux et ses yeux encore plus exorbités. Sa peau flasque et sa queue plate comme un gouvernail le transformaient en une espèce de Frisbee pendant ses leçons quotidiennes de vol, quand je le lançais doucement de la salle de bain vers notre lit. Rocky n'a pas eu besoin de beaucoup de leçons, il était un planeur naturel.

Les mouvements des écureuils volants sont très rapides et très verticaux. Dans la nature, ils escaladent et descendent rapidement les troncs d'arbres. De la même manière, Rocky grimpait et descendait sur nos corps. On aurait dit la boule poilue d'un billard électrique vivant qui battait des records.

Il semblait se déplacer à la vitesse de la lumière, sur nos vêtements et dessous, pendant que nous cherchions à l'attraper de nos mains. Quand il fonçait sous nos aisselles, une de ses cachettes préférées, le chatouillement était insupportable.

Toute cette activité faisait maintenant partie de notre routine quotidienne et nous remontait merveilleusement le moral. Mes médecins s'étonnaient de la rapidité de ma cicatrisation. Si le rire est le meilleur des traitements, alors Rocky nous en apportait des tonnes.

Un matin, je sirotais mon café comme tout le monde, à cette différence près que j'avais un journal devant moi et un écureuil sur la tête. Bien assis, Rocky regardait son domaine en se demandant probablement si c'était lui qui avait mordillé le morceau qui manquait à mon oreille gauche, suite à une opération pour enlever le cancer.

Soudain, j'ai éternué. Un de ces gros éternuements... qui s'est produit alors que je portais ma tasse de café tiède à la bouche. Quand j'ai ouvert les yeux pendant que la tasse s'approchait de mes lèvres, j'ai aperçu les deux énormes yeux protubérants du pire monstre poilu que je n'avais jamais vu.

«Peggy, il y a un écureuil volant dans mon café!» dis-je, pris d'un rire hystérique pendant que ma femme accourait dans la pièce. L'instant d'après, Rocky était remonté sur ma tête et faisait sa toilette, probablement sous le choc de la caféine.

J'ai repris le journal avant de le déposer, songeur. Nous avons tous vécu de ces moments où tout semble merveilleusement clair et net, des moments pleins d'humour et de beaucoup de gratitude. J'ai été bouleversé quand j'ai compris que j'étais un être absolument unique. Sans doute, sans aucun doute, j'étais la seule personne au monde, peut-être de tout l'univers, qui avait eu l'incroyable chance de trouver un écureuil volant dans son café ce matin-là.

Pendant ce temps, Rocky s'était endormi sous mon chandail. Indifférent aux profondes réflexions dans lesquelles j'étais plongé, il s'était blotti directement au creux de mon cou, dans la grande cicatrice créée par l'ablation de ma jugulaire, du ligament trapézoïde et de 200 ganglions lymphatiques.

Encore une fois, Rocky – et Dieu – réalisaient leur guérison magique.

Bill Goss

Bien trouvé m'appartient

Quand mes filles ont atteint la troisième et quatrième année scolaire, je leur permettais parfois d'aller et de revenir à pied de l'école, si la température était clémente. L'école était tout près et je savais qu'elles ne risquaient rien.

Par une belle journée chaude de printemps, une petite amie les a suivies jusqu'à la maison. Elle ne ressemblait à aucune autre de leurs amies. Elle avait de petites pattes courtes et de longues oreilles tombantes, une peau couleur de faon et de petits points sur son museau. C'était le plus beau petit chiot jamais vu.

Quand mon mari est rentré ce soir-là, il a reconnu la race – un chiot beagle d'au plus douze semaines, selon lui. Elle s'est immédiatement attachée à lui et, après le souper, elle s'est installée sur lui pour regarder la télévision. Déjà, les filles me suppliaient de la garder.

Elle ne portait ni collier ni identification. Je ne savais que faire. J'ai pensé placer une petite annonce dans les objets perdus sans vraiment le vouloir. Les enfants auraient le cœur brisé si quelqu'un venait la chercher. Pour soulager ma conscience, je me disais que ses propriétaires auraient dû faire attention.

À la fin de la semaine, elle faisait partie de la famille. Elle était très intelligente et aimait les filles. *Quelle bonne idée,* me disais-je. Il était temps que les filles deviennent responsables d'une autre vie pour développer les talents maternels dont elles auraient besoin si elles décidaient d'avoir des enfants, un jour.

La semaine suivante, mon honnêteté me poussa à vérifier dans la chronique des objets perdus du journal local. Une petite annonce m'a sauté aux yeux et mon cœur a bondi de peur quand je l'ai lue. Quelqu'un, qui habitait près de notre école primaire, demandait avec instance qu'on lui retourne un chiot beagle perdu. L'auteur semblait désespéré. Ma main tremblait et je n'ai pu me forcer à prendre le téléphone.

Au lieu d'appeler, j'ai prétendu ne pas avoir vu la petite annonce. J'ai rapidement caché le journal dans le rangement et continué mon ménage. Je n'en ai pas parlé à mon mari ni à mes enfants.

Nous avions maintenant donné un nom au chiot. Molly semblait lui aller à ravir; c'est donc ainsi qu'elle s'appellerait. Elle suivait les filles où qu'elles aillent. Quand elles sortaient, Molly était sur leurs talons. Quand elles faisaient le ménage, Molly leur donnait un coup de main (ou plutôt de patte).

Faire les devoirs présentait tout un défi quand elle était autour. Il est arrivé plus d'une fois qu'une institutrice a reçu un devoir sur une feuille mordillée par le chien. Chacune d'elles avait fait montre de compréhension et avait permis aux filles de reprendre le travail. La vie avait vraiment changé dans la famille Campbell.

Pourtant, quelque chose n'allait pas dans ce conte de fées: ma conscience me torturait. Je savais au fond de moi que je devais appeler ce numéro et découvrir si notre Molly était bien le chiot qu'ils cherchaient si désespérément.

Ce fut une des choses les plus difficiles de ma vie. Finalement, les mains moites, j'ai pris le récepteur et composé le numéro. Secrètement, j'espérais qu'on ne répondrait pas, mais en vain. La voix était celle d'une jeune femme. Après lui avoir décrit le chiot en détail, elle a insisté pour venir immédiatement.

Quelques minutes plus tard, elle était là. J'étais assise dans la cuisine. Je me tenais la tête à deux mains et priais Dieu pour un miracle. Molly était assise à mes pieds et me regardait avec ses grands yeux de chiot, des yeux couleur chocolat au lait. Elle semblait sentir que quelque chose n'allait pas.

Avant que la femme n'arrive, j'ai pensé à une foule de choses. Je pourrais faire semblant que j'étais absente ou lui dire: «Désolée, vous vous êtes trompée d'adresse». Mais il était trop tard car la sonnette se fit entendre. Molly s'est mise à aboyer. J'ai ouvert la porte, me forçant à faire face à ma peur.

Il a suffi d'un regard vers Molly pour que le visage de la femme s'illumine comme un arbre de Noël. «Viens, Lucy, dit-elle. Viens voir maman, petite.» Molly (Lucy) obéit immédiatement, agitant sa queue de plaisir au son de la voix de la femme. De toute évidence, elle appartenait à cette femme.

Les larmes me brûlaient les paupières et menaçaient de couler subitement. Il me semblait qu'on m'arrachait le cœur. Je voulais prendre Molly et m'enfuir. Je lui ai plutôt souri faiblement et je l'ai invitée à entrer.

La femme s'était déjà penchée et avait pris Molly dans ses bras. Gauchement, elle a ouvert son sac et m'a présenté un billet de vingt dollars.

«Pour votre dérangement», dit-elle.

«Non, je ne saurais accepter», ai-je protesté. «C'est plutôt moi qui devrais vous payer. Sa compagnie fut si agréable.» Elle a ri et serré Molly sur elle comme s'il s'agissait d'une enfant perdue et non d'un chien.

Molly lui léchait la figure en se tordant de plaisir. Je savais qu'il était temps qu'elles partent. En ouvrant la porte, j'ai remarqué une fillette sur le siège avant de la voiture. Quand la petite a vu la chienne, un sourire de feux d'artifice a illuminé son visage.

J'ai soudain aperçu un petit fauteuil roulant attaché derrière la camionnette. La femme, en suivant mon regard, m'a expliqué sans que je lui demande. On avait donné Molly (Lucy) à la petite pour aider son rétablissement émotif après un accident de voiture qui l'avait laissée infirme pour la vie.

Après la disparition du chiot, la petite était tombée en dépression profonde, refusant de sortir de sa torpeur. Molly (Lucy) était leur seule chance de voir leur fille se rétablir émotionnellement et mentalement.

«Elle s'est attachée au chiot et Lucy lui a donné une raison de vivre», dit-elle en guise d'explication.

Soudain, je me suis sentie très coupable et très égocentrique. *Dieu m'a tellement comblée,* ai-je pensé. J'ai ressenti de la pitié pour cette famille qui avait traversé une si dure épreuve. Au moment où elles partaient, c'est un vrai sourire qui s'affichait sur mon visage. Je savais que j'avais fait la bonne chose, que le chiot était là où il devait être.

Leona Campbell

Voir

Le langage de l'amour peut être vu par les aveugles et entendu par les sourds.

Donald E. Wildman

Quand Barkley est arrivé chez moi, il devait avoir trois ans. Il venait d'une famille qui ne le voulait plus. Le gros golden retriever avait été grossièrement négligé et il était malade. Après avoir réglé ses problèmes de santé et passé du temps à établir des liens avec lui, je me suis retrouvée avec un chien au tempérament adorable.

Il était intelligent et voulait plaire. Je l'ai donc inscrit à un cours d'obéissance, d'abord un cours élémentaire, puis un cours avancé, avant de nous inscrire à un atelier de thérapie sociale pour apprendre tout ce que nous devions savoir pour faire de Barkley un chien thérapeute certifié.

Après quelques mois, nous avons commencé nos visites hebdomadaires à l'hôpital local. Je ne savais pas à quoi m'attendre, mais nous avons été ravis tous les deux. Après m'être assurée qu'un patient voulait recevoir la visite de Barkley, le chien marchait jusqu'au lit et attendait que la personne alitée lui tende la main. Certains le serraient dans leurs bras, d'autres se contentaient de le flatter. Il restait là, battant de la queue en arborant ce qui semblait être un énorme sourire. Sa douceur a vite conquis le personnel, les patients et même les autres bénévoles.

J'habillais Barkley différemment à chaque semaine. Il avait des costumes adaptés à chaque type de fête. Il portait un chapeau de fête à son anniversaire, une boucle verte pour la Saint-Patrice, et un costume de Zorro pour l'Halloween. Pour Noël, il portait un chapeau de Père Noël ou des bois de rennes. Pâques était la fête préférée de tous. Barkley portait des oreilles de lapin et une petite queue de lapin attachée à son derrière. Les patients avaient toujours hâte de voir ce que Barkley porterait *cette* semaine.

Environ un an après le début de nos visites, j'ai remarqué que Barkley avait de la difficulté à voir. Il lui arrivait de se heurter sur les meubles. Le vétérinaire a découvert une maladie des yeux, attribuable en partie au fait qu'on l'avait négligé dans sa jeunesse. Pendant l'année qui a suivi, l'état de Barkley s'est détérioré. Malgré cela, Barkley se débrouillait étonnamment bien.

Je n'avais pas remarqué la gravité de sa situation jusqu'au soir où, en jouant à la balle avec Barkley, je m'aperçoive qu'il avait de la difficulté à l'attraper. Il la ratait régulièrement et devait flairer le sol pour la retrouver. Le lendemain, je l'ai emmené chez le vétérinaire qui m'a dit qu'il faudrait l'opérer. Après trois opérations pour tenter de sauver sa vue, au moins partiellement, Barkley est devenu totalement aveugle.

Je me demandais comment il s'adapterait à ce terrible handicap, mais il s'est rapidement ajusté à sa cécité. Il semblait que ses autres sens étaient devenus plus aiguisés pour compenser la perte de sa vue. Il fut bientôt rétabli et insista pour me faire savoir (en me barrant le chemin du garage) qu'il voulait m'accompagner à l'hôpital pour voir ses amis. Nous avons donc repris nos visites hebdomadaires à la grande joie de tous, surtout de Barkley.

Il circulait si bien à l'hôpital qu'il était difficile de croire qu'il était aveugle. Un jour, après que Barkley fut devenu aveugle, on m'a demandé s'il était un chien guide.

J'ai ri en répondant que c'était plutôt Barkley qui avait besoin d'une personne guide.

Il a semblé développer une capacité surprenante pour percevoir les choses qui sont au-delà des sens. Un jour, nous sommes entrés dans la chambre d'un patient et, à ma surprise, Barkley s'est dirigé directement vers le visiteur assis dans une chaise près du lit et lui a poussé la main de son museau. Barkley n'avait pas l'habitude de faire les premiers pas, et je me suis demandé pourquoi il avait agi ainsi. C'est seulement en m'approchant de la chaise, à la manière dont la femme réagissait à Barkley, que j'ai compris. Je ne sais comment, mais Barkley, totalement aveugle, avait senti que cette femme était aveugle, elle aussi.

Étrangement, après que Barkley eut perdu l'usage de ses yeux, sa présence devint encore plus précieuse pour les patients à qui il rendait visite.

Lorsqu'on a remis un prix à Barkley pour avoir fait plus de 400 heures de bénévolat, tous m'ont dit: «C'est étonnant ce qu'un chien aveugle peut faire!»

Ils n'ont pas compris que Barkley n'était pas vraiment aveugle. Il voyait toujours. Sauf que maintenant, il voyait avec les yeux de son cœur.

Kathe Neyer

Socks

Vers l'âge de six ou sept ans, j'avais reçu un petit chiot bâtard qui s'appelait Socks. Socks et moi avons été d'inséparables amis pendant les six mois qu'il a été avec moi. Il dormait au pied de mon lit. La dernière chose que je sentais le soir et la première, le matin, était son corps chaud qui bougeait. Je l'aimais d'un amour qui s'est peu estompé avec les années.

Un jour, Socks a disparu. Une rumeur circulait dans le quartier qu'on aurait vu quelqu'un le faire monter dans une auto, mais personne n'a pu le prouver.

Socks ne revenait pas et je me suis endormi en pleurant pendant plusieurs nuits. Si vous n'avez jamais perdu un chien, vous ne pouvez pas savoir ce qu'on ressent. Pourtant, croyez-moi, la peine ne diminue que très peu avec le temps. Mes parents ont tout fait pour m'égayer, sans résultat. La maturité et les années ont pansé ma blessure, que je n'affichais plus, mais que je conservais au plus profond de moi.

Un jour, après plusieurs années, mes émotions sont remontées à la surface. Nous visitions mes parents à leur domaine boisé du nord du Michigan, lorsque notre chien bâtard Buckshot a disparu.

Le vieux Buck était assez bon chasseur. Il ressemblait plus à un ourson adorable qu'à un chien. Ce jour-là, il avait décidé d'aller voir ce qu'il y avait sur l'autre versant de la montagne.

Sa disparition a affecté durement Chris, mon fils de sept ans, car celui-ci avait fait de Buck sa propriété personnelle. Les autres enfants aimaient bien Buck, mais pas autant que Chris.

Chris était le petit garçon typique, joufflu, avec des taches de rousseur, et il lui manquait des dents. Il avait le don d'avoir l'air triste et piteux même quand il était de bonne humeur. Quand il avait du chagrin, même les anges retenaient leur souffle.

Chris s'inquiétait que son copain fût perdu pour toujours. En regardant mon fils, je suis retourné dans le passé et me suis vu avec Socks. Le vieux chagrin a refait surface.

Il a commencé à pleuvoir doucement au moment où je montais dans ma Jeep pour parcourir les petites routes en m'arrêtant pour appeler Buckshot d'une voix étrangement désespérée. En pensée, je voyais Chris sous la pluie, dans un imperméable beaucoup trop grand pour lui, perdant espoir au fil de ses recherches.

Plusieurs kilomètres plus loin, la gorge éraillée d'avoir trop crié, je n'avais toujours pas retrouvé notre bête. De retour au camp, j'ai stationné la Jeep et je suis parti à pied en évitant de regarder Chris pour ne pas devoir admettre qu'il était bien possible qu'un chien de la ville puisse se perdre irrémédiablement en forêt.

Je me suis dirigé vers une petite étendue de terrain pittoresque que les habitants du coin appellent *L'étang du mort*, en maugréant tout bas contre les chiens et leur emprise sur les petits garçons. Si vous vous êtes déjà promené seul en forêt à la nuit tombante, vous savez que votre esprit peut vous jouer des tours. J'ai senti ma vision s'embrouiller. Mon vieux chagrin revenait.

Après avoir marché quelque huit kilomètres en criant, courant et suant, je me suis assis sur un rocher près d'une clairière. Je me demandais comment annoncer au petit homme qui vivait chez moi que je n'avais pu retrouver son chien.

Soudain, j'ai entendu un bruissement derrière moi. Je me suis retourné précipitamment et j'ai vu le vieux Buck galopant vers moi avec l'air de dire «Où diable étais-tu passé?» que prennent les chiens lorsqu'on finit par les retrouver. Nous nous sommes roulés par terre ensemble, ma frustration disparaissant dans les fougères humides. Après un moment, j'ai mis le chien au pied et nous sommes retournés vers le chalet en trébuchant et en courant.

En sortant du bois, mon fils, la face longue, mon propre père et le chien vagabond s'étreignirent l'un l'autre. C'est à ce moment que j'ai eu un choc.

Je me sentis transporté dans le passé pour assister à des retrouvailles que j'avais espérées mais qui n'avaient pas eu lieu. Mon père avait l'air d'avoir trente ans. Le petit garçon étreignant le chien tacheté, c'était moi, il y a vingt-cinq ans. Et le vieux Buck? Tout simplement un autre bâtard adoré qui avait finalement retrouvé son chemin.

Socks était rentré à la maison.

Steve Smith

Un véritable charmeur

À quatorze ans, Henry a reçu en cadeau un boa constrictor de 1,2 mètre. Quand je suis entrée en scène, Henry avait dix-sept ans et George, le boa, mesurait près de 2,5 mètres. George se portait bien, mais Henry dépérissait.

Je souris encore au souvenir de notre première rencontre: c'était le jour où je voyais les parents de Henry pour un poste d'infirmière. Henry souffrait de dystrophie musculaire et il était de plus en plus faible, trop malade pour que ses parents puissent s'occuper de lui sans aide. Pendant que ses parents étudiaient mon CV, je suis entrée dans la chambre de Henry, me suis agenouillée et j'ai regardé le garçon aux cheveux roux dans les yeux. Remarquant son corps mince et tordu attaché au fauteuil roulant, je lui ai dit: «Salut, jeune homme. Il paraît que tu as besoin d'aide?»

En réponse, j'ai reçu un joyeux regard intelligent et malicieux. Henry m'avait préparé un test, un genre de baptême du feu. «Oui, j'ai besoin d'aide. Pourriez-vous m'apporter George?»

Sans me méfier, j'ai répondu: «Bien sûr! Où est-il et qui est-il?» Mes yeux ont fait le tour de la chambre cherchant un chat, un chien ou même un animal en peluche. Ils se sont arrêtés sur une grosse boîte de verre à l'autre bout de la chambre.

«George est mon boa», dit Henry avec un petit sourire en coin. «Pourriez-vous me l'apporter, s'il vous plaît?»

Un serpent! J'étais une excellente infirmière, très en demande. Je savais que je pouvais sortir de cette maison sans accepter le poste. En étudiant la situation, j'ai regardé Henry. *Qu'il est mignon!,* ai-je pensé. J'ai regardé sa chambre. Il y avait des piles de magazines consacrés à l'automobile, des livres, des carnets de notes et des crayons sur la table pliante qui servait de bureau à Henry. Des affiches de voitures de course et des photos de vedettes de football ornaient les murs. J'étais en présence d'un vrai garçon, un maigre adolescent, déformé par la maladie, mais dont le sens de l'humour n'avait pas été affecté et qui avait gardé un goût pour les choses bizarres. Je n'ai jamais su résister à un joli visage et j'étais prête à relever un nouveau défi. J'ai su que je voulais ce poste.

«Bon, euh! ... Comment je le prends?» ai-je demandé en regardant dans la cage de verre ce qui semblait être un énorme câble enroulé, assez gros pour ancrer le *Titanic*.

Avec un sourire en coin, Henry a répondu: «Doucement. Mets une main gentiment derrière sa tête et tiens son corps de l'autre.»

«C'est tout? Ce sont toutes tes instructions?» J'ai levé le couvercle et j'ai touché le reptile froid de mes doigts tremblants. Le serpent s'est à peine déplacé quand je l'ai touché. *Je peux le faire,* me suis-je dit. J'ai attendu que le courage me revienne. En vain. J'ai pris une grande respiration et j'ai plongé attrapant l'énorme George pour le soulever lentement hors de sa cage. Avant que j'aie terminé de le soulever, le reste du corps de la bête s'est enroulé fermement autour de mon bras. «Je peux le faire», me suis-je répété plusieurs fois.

Henry me regardait en silence pendant que je traversais la pièce portant mon lourd fardeau de muscles.

«Que veux-tu que j'en fasse?» lui ai-je demandé.

Henry a répondu: «Dépose simplement sa tête et le haut de son corps sur mes genoux. George adore se faire flatter.»

C'est ainsi que j'ai rencontré George. Au cours des mois suivants, il m'est apparu clairement que George était une motivation importante, sinon la seule, du désir de vivre de Henry.

Chaque fois que nous faisions une de nos rares excursions chez McDonald ou à la librairie, c'était difficile pour Henry. Les gens le dévisageaient pendant qu'il mangeait de peine et de misère ou essayait de feuilleter un livre avec les trois doigts qui répondaient encore à ses ordres.

Pourtant, chaque semaine, nous allions à l'animalerie acheter de la nourriture pour George. Après avoir soigneusement lavé, préparé et coiffé Henry, je le plaçais doucement dans son fauteuil roulant et le poussais vers ma voiture. Après beaucoup d'efforts, je l'attachais et l'installais délicatement dans le siège du passager, je pliais sa chaise et la mettais dans le coffre. Il fallait bien deux heures pour accomplir ces tâches. Deux heures laborieuses pour moi, deux heures douloureuses pour Henry, car nous faisions tous deux attention pour ne pas blesser son corps délicat – une mission impossible. Quel témoignage de l'amour que Henry portait à son énorme copain.

Un jour, George a disparu. L'oncle de Henry était venu en visite pendant le week-end et avait laissé le dessus de la cage de George ouvert. Ses parents et moi avons cherché partout dans l'élégante maison, aménagée pour faciliter les déplacements de Henry en fauteuil roulant. *George ne peut se cacher nulle part ici,* pensions-nous. Pourtant, nous n'avons pu trouver le serpent.

Un mois est passé. Henry était étonnamment calme, convaincu que George reviendrait en temps et lieux. J'étais désolée pour Henry, mais je ne pouvais dire que je m'ennuyais de George.

Un matin, je suis arrivée tôt et je suis allée réveiller Henry. J'ai trouvé George étendu de tout son long aux côtés de Henry, tous deux endormis. Ma réaction m'a troublée, mais c'était une des plus charmantes images que j'aie vues. George avait fini par faire ma conquête!

Pendant les mois qui suivirent, la condition de Henry continua de se détériorer. Son corps se recroquevillait de plus en plus et il avait de la difficulté à respirer. Pourtant il conservait l'usage de ses trois doigts pour faire ses devoirs et caresser George pendant des heures. Trois doigts frêles qui maintenèrent le contact entre le garçon et le boa, jusqu'à son dernier jour.

Ce jour-là, Henry m'a laissé une note. Je l'ai trouvée dans une enveloppe à mon nom sur son pupitre. J'étais touchée car j'en étais venue à éprouver beaucoup d'affection pour ce garçon courageux. Il a commencé sa note en me remerciant de l'avoir aidé avec George et, reconnaissant mon affection hésitante pour le serpent, il me dit qu'il savait pouvoir compter sur moi pour prendre soin de George maintenant qu'il n'était plus là. La panique s'est emparée de moi jusqu'à ce que je remarque le post-scriptum. Sous le dessin d'un sourire, Henry me disait de ne pas m'inquiéter. Le représentant de U.P.S. avait accepté d'adopter George.

J'ai pensé, *Henry, tu me taquines encore.* Je me suis fait un point d'honneur de flatter tendrement George une dernière fois avant de partir.

Lynne Layton Zielinski

Jenny et Brucie

Jenny Holmes s'est battue contre l'embonpoint tous les jours de sa jeune vie. À douze ans, elle n'était pas grosse, mais elle croyait l'être, car elle voulait ressembler à un mannequin. Gymnaste en herbe, Jenny voulait être aussi souple et nerveuse que Nadia Comaneci, l'athlète olympique.

Jenny n'a pas perdu de poids avant l'âge de seize ans. Elle a alors perdu 10 kilos après une rupture avec son premier amoureux. On aurait dit qu'elle se vengeait de lui. C'est alors que sa longue guerre contre l'embonpoint a commencé. Elle a duré douze années pendant lesquelles elle a essayé sans arrêt de perdre des kilos qu'elle reprenait immanquablement.

Pendant toutes ces années, Jenny ignorait que le changement de son image d'elle-même ne viendrait pas des milk-shakes à basse teneur en gras, du comptage des calories ou même de la privation de crème glacée ou de chocolat. Ce serait un chien qui lui en ferait cadeau.

Brucie a fait irruption dans la vie de Jenny alors qu'elle avait vingt-neuf ans. À cette époque, Jenny était mariée et l'heureuse mère de deux enfants. Elle était propriétaire d'une petite entreprise florissante qui fabriquait des T-shirts imprimés. Voulant mettre un peu d'humour dans ses tentatives de perdre du poids, elle en a dessiné un pour elle-même portant l'expression «La grande bouffe fait gonfler».

Personne ne lui disait jamais qu'elle était «grosse». Elle faisait 1,60 mètre et 70 kilos. Ses jambes étaient musclées, ses hanches larges mais son buste était petit. Elle était devenue une femme avec un corps de femme, mais elle avait horreur de son derrière. Jenny continuait de rêver à la taille élancée, mince et à l'allure garçonnière des mannequins.

Brucie, le jeune chiot Labrador, est arrivé avec ses bisous mouillés et sa personnalité dynamique. Jamais on ne l'avait destiné à être un incitatif à un régime. Il était destiné à être un partenaire de course. John aimait Jenny comme elle était, mais il savait que Jenny était mieux dans sa peau quand elle pouvait courir. Il ne pouvait le faire lui-même à cause de maux de dos. C'est ainsi que Brucie hérita de la tâche.

Au début, Brucie et Jenny ne couraient que cinquante pas à la fois, chaque répétition étant entrecoupée d'une marche de cent pas. Jen pensait : *De cette manière, je n'aurai pas l'air d'une débutante. Brucie est encore trop jeune et ses os ne pourraient supporter de courir plus longtemps.* Elle avait raison et les limites de Brucie lui ont permis de commencer lentement sans se sentir mal à l'aise.

Cependant, après dix mois, Brucie était assez vieux pour courir plusieurs kilomètres par jour et Jenny assez en forme pour le suivre ! Chaque jour, ils accumulaient les kilomètres ensemble.

Avant l'arrivée de Brucie dans sa vie, Jenny avait toujours eu de la difficulté à se motiver à faire de l'exercice. Ses lectures lui disaient de se trouver un partenaire de course. Ses compagnons l'avaient toujours laissé tomber. Un d'entre eux avait déménagé, un autre collectionnait les blessures de course comme un philatéliste les timbres. Un troisième avait simplement abandonné. Elle a su que sa dernière compagne allait abandonner quand elle a commencé à donner des excuses du genre «C'est à mon tour de faire la vaisselle», à six heures du matin !

Même si elle n'aimait pas l'admettre, elle aussi avait laissé tomber les autres d'une certaine manière. Jenny s'attendait à la même chose de la part de Brucie. Elle savait qu'il courrait avec elle, mais elle ne s'attendait pas à ce que le chiot l'aide à se motiver.

Erreur! Le premier matin où Jenny a voulu rester au lit, Brucie lui a léché la figure. Quand elle s'est enfouie la tête sous l'oreiller, il lui a sorti les orteils de sous les couvertures. Jenny a recroquevillé ses pieds, mais Brucie a alors sauté sur le lit. Après avoir été repoussé, le Labrador de trente kilos s'est mis à pleurnicher et à frapper le sol de sa queue comme un batteur. Quand elle lui a dit de cesser, il s'est interrompu mais il a bientôt recommencé à lui lécher le visage! Ce matin-là, et tous les matins par la suite, Jen et Brucie ont couru.

Jenny ne croyait pas avoir le courage de courir durant l'hiver. Mais cela n'a pas arrêté Brucie. Étonné de voir le chien caracoler dans la neige sous la fenêtre de Jenny et aboyer pour la réveiller, John a décidé d'acheter à Jenny des vêtements de course d'hiver. Puis vint le printemps, la boue et la pluie, mais Brucie voulait toujours courir et Jenny n'y pouvait rien. Ils avaient subi le froid et la neige ensemble. Ils viendraient bien à bout d'un peu de boue et de neige mouillée.

De plus, elle était devenue la compagne de course de Brucie. Elle ne pouvait même plus penser dire non aux grands yeux bruns qui la fixaient chaque matin quand Brucie s'avançait vers elle avec sa laisse dans la gueule. Il lui arrivait même de lui apporter ses souliers de course.

Ils ont couru pendant dix ans. Quand l'arthrite et l'âge l'ont forcé à attendre sur le perron que Jenny revienne de son entraînement avec un nouveau chiot, Brucie ne sembla pas s'en faire. Il restait couché, le museau entre les pattes, jusqu'à ce qu'il les voie arriver. Il battait alors de la queue sur le sol. Quand ils empruntaient l'allée, il marchait allègrement vers eux, le corps frétillant tout comme lorsqu'il était un chiot.

Brucie est mort l'an dernier. Jen, John et les enfants ont répandu ses cendres sur le sentier boisé qu'ils avaient si souvent emprunté ensemble. Aujourd'hui, Jenny continue de courir avec son nouveau chien et ses enfants qui ont grandi. Tout comme Brucie, ils ne la laissent pas dormir le matin, même les samedis pluvieux.

Jenny fabrique toujours ses T-shirts, mais il n'est plus question de «La guerre aux bourrelets». Elle s'en prépare un nouveau qu'elle veut porter au marathon de Boston, le printemps prochain. Sur le devant, un Labrador retriever peint à la main. Au dos, Jenny a écrit: «Brucie, cette course est pour toi.»

Cerie L. Couture, D.M.V.

Dix minutes de plus

En vous levant le matin, prenez la résolution de rendre une autre créature heureuse aujourd'hui.

Sydney Smith

Les lundis après-midi à quatorze heures, Beau et moi arrivons au Silver Spring Convalescent Center au nord de Milwaukee pour passer une heure en zoothérapie avec les personnes âgées qui résident au centre. Nous parcourons les corridors en saluant tous ceux que nous rencontrons en route vers la salle de réception, où les résidents viennent rencontrer et flatter Beau, et baigner dans l'adoration de ce magnifique et joyeux doberman pinscher de 45 kilos, âgé de 10 ans.

Il est impossible d'imaginer que lorsque ce même chien est arrivé chez moi, huit ans plus tôt, il était tellement battu, plein de cicatrices et apeuré que, au moindre regard, il se couchait sur le dos, les pattes en l'air et urinait jusqu'à ce qu'on le flatte et lui redonne confiance.

À notre première visite, nous marchions dans le corridor nº Un, de couleur jaune canari, quand j'ai entendu une voix excitée avec un fort accent germanique venant de la chambre 112. «Maman, maman, le chien allemand est arrivé! Le chien allemand est arrivé!»

Aussitôt, un homme de 1,80 m, à la chevelure blanche, mince comme un couteau, nous a accueillis à la porte en nous invitant à entrer. «Je m'appelle Charlie. Voici ma femme Emma. Entrez, entrez.»

Quand Beau a entendu la voix amicale et pleine d'enthousiasme de Charlie, son corps a immédiatement pris sa position coutumière, frétillant et se collant sur sa cuisse en attendant d'être flatté, ce que Charlie a aussitôt fait. En entrant dans la chambre, Emma, octogénaire aux cheveux bleutés, frêle mais pleine d'entrain, était assise sur le lit. Elle souriait et tapait de la main sur le lit. Au premier geste, Beau, toujours en laisse et obéissant, est monté sur le lit, s'est étendu près d'elle et lui a léché la figure.

Charlie avait les larmes aux yeux en nous racontant qu'Emma et lui avaient immigré aux États-Unis pendant la Seconde Guerre mondiale et avaient dû abandonner Max, leur doberman chéri. Max, selon Charlie, était le sosie de Beau.

Dans la chambre suivante, la 114, demeurait Katherine, une septuagénaire qui avait cessé de parler quelques mois auparavant et qui, depuis un mois, vivait, catatonique dans son fauteuil roulant. En dépit de l'amour, des étreintes, des paroles ou des visites, elle demeurait ainsi. On m'a dit que sa famille ne lui téléphonait plus et ne venait plus la voir, et qu'elle n'avait pas d'amis. En entrant dans la chambre avec Beau, il n'y avait qu'une petite lampe allumée à côté du lit et les stores étaient baissés. Assise dans son fauteuil roulant, elle nous faisait dos, les épaules arrondies, face à la fenêtre sans vue.

Beau tirait sur sa laisse. Avant que j'aie pu faire le tour et m'agenouiller devant elle, il s'était placé à sa gauche, sa tête sur ses genoux. J'ai tiré une chaise, me suis assise et l'ai saluée. Pas de réponse.

Pendant les quinze minutes que Beau et moi avons passées avec Katherine, elle n'a pas dit un mot, n'a pas bougé. Plus étonnant encore, Beau n'a jamais bougé lui non plus. Pendant les quinze minutes de la visite, son museau n'a jamais quitté les genoux de Katherine.

Si vous connaissiez Beau, vous sauriez que dix secondes à attendre d'être flatté représentent une éternité pour lui. Depuis que je le connais, il renifle la personne la plus proche de lui, geint, grogne doucement et colle son corps contre elle jusqu'à ce qu'elle soit forcée de le flatter, ou il se désintéresse et va vers une autre personne. Pas dans le cas présent. Il était aussi immobile que Katherine, la tête reposant sur ses genoux.

Le manque de vie de la femme m'a rendue si inconfortable, bien malgré moi, que lorsque l'horloge a sonné 14 h 30, j'ai rapidement dit bonjour, je me suis levée et j'ai tiré Beau qui résistait.

J'ai demandé à une des infirmières la raison de la catatonie de Katherine. «Nous ne le savons pas. Parfois cela arrive chez les personnes âgées quand leur famille cesse de s'intéresser à elles. Nous essayons seulement de rendre sa vie aussi confortable que possible.»

Toutes les personnes et tous les animaux merveilleux qui ont peuplé ma vie ont défilé dans ma mémoire, puis ont disparu. Je me suis sentie comme Katherine devait se sentir: seule, perdue et oubliée. J'ai décidé de réussir à communiquer avec elle.

Par la suite, chaque lundi, Beau et moi faisions notre tournée en route vers la salle de réception. Nous arrêtions pour nos visites spéciales: à la chambre 112 pour voir Charlie et Emma, et à la chambre 114 pour nous asseoir avec Katherine. Rien ne changeait. Toujours aussi vifs, Charlie nous accueillait et Emma tapait sur son lit en invitant Beau à lui lécher le visage. Puis, nous arrivions chez Katherine, assise dans sa solitude. Elle ne donnait aucun signe de vie, sinon sa faible respiration.

À chaque visite, j'essayais de parler avec Katherine, lui posant des questions sur sa vie et lui parlant de la mienne et de celle de Beau. Elle ne répondait pas. Ma frustration augmentait, car je voulais être plus qu'une présence pour elle. C'est Beau, le chien-moine méditatif, qui m'a appris à «être» et à aimer en silence, en adoptant «la position» pendant quinze minutes à chacune de nos visites.

À notre quatrième visite, j'étais résolue à passer tout droit devant la chambre de Katherine, en me disant que cela ne ferait aucune différence, mais Beau avait d'autres plans en tête. Il m'a tirée dans la chambre de Katherine et adopté sa position familière, à sa gauche, la tête sur ses genoux. Je l'ai laissé faire, mais j'avais un rendez-vous d'affaires plus tard cet après-midi-là et j'ai décidé de réduire à cinq les quinze minutes habituelles consacrées à Katherine. Au lieu de parler, je suis demeurée silencieuse en pensant à ma réunion à venir. Elle ne s'en rendrait certainement pas compte. Comme je me levais pour partir, j'ai voulu tirer Beau, mais il a refusé de bouger.

Et là, un miracle s'est produit. La main de Katherine s'est posée sur le dessus de la tête de Beau et y est demeurée. Rien d'autre que sa main n'a bougé. Au lieu de fouiller du museau ou de s'agiter, comme il le fait d'ordinaire, Beau est demeuré immobile comme une statue, sans jamais changer de position.

Bouleversée, je me suis rassise en silence et pendant les dix minutes qui ont suivi, je me suis délectée à regarder le courant de vie s'écoulant entre la main de Katherine et la tête de Beau. Lorsque l'horloge a sonné quatorze heures trente, la main de Katherine est doucement revenue sur ses genoux et Beau s'est levé pour se diriger vers la porte.

Dix ans ont passé depuis cette visite, et huit depuis que Beau est mort dans mes bras d'une attaque. L'amour se manifeste de plusieurs façons. Chaque fois que j'ai envie de cesser mes efforts et d'abandonner quelqu'un à son sort, je me souviens du pouvoir de la persistance aimante de Beau avec Katherine et moi. Si Beau a pu donner dix minutes de plus, je peux certainement le faire.

Mary Marcdante

4

VIVE LE LIEN !

Tu deviens responsable pour toujours
de ce que tu as apprivoisé.

Antoine de Saint-Exupéry

Le langage des chevaux

Mon père, un éleveur de chevaux traditionnel, était très autoritaire. Il employait l'intimidation et la brutalité pour «casser» les chevaux.

Malheureusement, il a eu recours à la même méthode avec moi. À l'âge de huit ans, après avoir été témoin d'un cas particulièrement violent, je me suis juré de ne pas faire comme lui. J'emploierais la communication et non la violence pour obtenir la collaboration des chevaux que j'entraînerais. J'étais certain qu'il existait un langage des chevaux et si je parvenais à l'apprendre, je pourrais entraîner les chevaux en utilisant une méthode toute différente. C'est ainsi qu'à l'âge de huit ans, je me suis fixé un objectif dans ma vie: apprendre à communiquer facilement avec les chevaux.

Mon père trouvait mon idée insensée. J'ai donc dû poursuivre mon objectif sans son aide. Ma mère m'encourageait mais elle le faisait en secret, de peur de provoquer la colère de mon père. À cette époque, nous habitions dans un haras à Salinas, en Californie, et je passais tout mon temps à tenter de communiquer avec les chevaux domestiques non dressés du ranch.

L'été de mes treize ans, je suis allé travailler au Nevada pendant trois semaines. On m'avait embauché pour capturer des mustangs sauvages. C'était la première fois que j'avais l'occasion de travailler avec des chevaux totalement sauvages. Déterminé à profiter au maximum de mon séjour, je me levais tôt et je chevauchais jusque dans le désert où, au moyen de lunettes d'approche, j'étudiais les mœurs des hardes de mustangs qui vivaient là.

Ces chevaux me fascinaient totalement. Pendant des heures, je regardais ces magnifiques bêtes courir, brouter et jouer dans les vastes espaces du désert.

Ce qui m'a le plus étonné, c'était la manière dont ces chevaux sauvages communiquaient entre eux. Ils émettaient rarement des sons. Au lieu de cela, ils s'exprimaient par un langage complexe fait de mouvements. La position de leurs corps, la vitesse et la direction de leurs déplacements en étaient les éléments clés. De plus, en variant le degré de rigidité ou de relaxation de ses yeux, de ses oreilles, de son cou, de sa tête et de sa colonne vertébrale, un cheval pouvait exprimer tout ce qu'il voulait communiquer.

En les regardant, je me disais: *Pourrais-je convaincre un cheval sauvage de me laisser l'approcher d'assez près pour le toucher sans qu'il ne s'enfuie?*

Pour faciliter son identification, j'ai choisi un cheval aux marques distinctives et j'ai tenté de l'isoler des autres. Pendant des jours, j'ai tout essayé pour m'en approcher, mais il me sentait toujours venir et s'éloignait avant même que j'arrive à sa portée.

Un jour, la chance a voulu que je me retrouve derrière lui dans un petit canyon. J'avais enfin capté toute son attention. Puis, en ne me servant que de mon corps pour émettre les signaux que les chevaux utilisaient entre eux, j'ai convaincu le petit étalon méfiant de demeurer immobile. En silence, il me regardait approcher pas à pas. Il était sur ses gardes mais n'avait pas peur. Retenant mon souffle, j'ai franchi le pas qui me mettait à sa portée et j'ai doucement posé ma main sur son cou. Cela n'a duré que quelques secondes, mais c'était suffisant. En le regardant s'enfuir au galop, mon cœur a explosé de joie. J'avais communiqué avec un cheval!

De retour à la maison, débordant d'excitation, j'ai raconté à ma mère ce qui s'était passé avec le mustang dans le désert. Je voyais bien qu'elle était heureuse pour moi, mais sa seule réaction fut de m'avertir de ne jamais parler de cela à mon père ou à quiconque, car je pourrais avoir des difficultés. Je me suis senti abandonné, mais je savais qu'elle avait raison. Mon désir d'apprendre à communiquer avec les chevaux est devenu une passion profonde et secrète, que j'ai férocement cachée au monde entier.

Incapable de partager avec quiconque ce qui m'importait le plus, j'étais presque toujours seul avec les chevaux. Mon rêve était la seule chose qui comptait pour moi.

Chaque été, je retournais au Nevada pour trois semaines et je poursuivais mes recherches dans le désert. Quatre ans plus tard, à l'âge de 17 ans, j'avais tellement fait de progrès que non seulement j'avais touché un mustang sauvage, mais je l'avais sellé, lui avais mis la bride et l'avais monté sans jamais le faire souffrir ou l'intimider.

Fier, je l'ai monté jusqu'au ranch. Les employés du ranch qui m'avaient vu arriver m'ont traité de menteur quand je leur ai raconté ce que j'avais fait. Ils ont ri de moi et prétendu que le cheval que j'avais monté avait probablement été domestiqué autrefois et qu'il s'était enfui pour se retrouver avec les mustangs. Profondément blessé, j'ai compris la futilité de mon rêve. Personne ne me croyait et *mon* enthousiasme était à plat.

J'ai fini par surmonter cette terrible humiliation et décidé de poursuivre ma méthode de dressage. Par contre, j'étais bien résolu à ne plus jamais en parler à personne.

Je suis donc devenu dresseur de chevaux. J'ai utilisé mon expérience avec chacun des chevaux pour parfaire mes connaissances du langage des chevaux. Cet apprentissage était lent mais très satisfaisant.

À l'âge de vingt-cinq ans, une famille a retenu mes services pour régler le problème de leur jument, My Blue Heaven. C'était une bête superbe, intelligente et très douée. Pendant son dressage, le propriétaire précédent l'avait mal maniée par inadvertance et la bête avait développé un sérieux problème: elle refusait de s'arrêter. Elle partait comme une fusée et refusait d'arrêter, défonçant les clôtures et glissant dangereusement en effectuant des virages serrés. Elle était une traîtresse diabolique.

Un peu plus tôt, elle avait failli tuer la fille de son propriétaire actuel. La famille partait en vacances et m'avait demandé de vendre la jument au meilleur prix. Ils avaient entendu dire que j'avais du succès avec les chevaux difficiles et savaient que pour la vendre, il fallait que quelqu'un parvienne à la faire arrêter de courir. Personne d'autre ne voulait essayer.

C'était la jument la plus dangereuse que je n'avais jamais vue. J'ai fait appel à tout ce que j'avais appris au cours des années pour l'aider. En bougeant lentement et en me limitant aux signaux les plus simples, j'ai réussi à gagner sa confiance. En utilisant cette confiance, j'ai continué à communiquer avec elle et elle a bientôt cédé. À partir de ce moment, nous avons progressé rapidement. La tâche avait semblé impossible, mais en quelques jours la jument était transformée.

Pendant l'absence de ses propriétaires, je l'ai inscrite dans un concours et elle s'est classée première. J'ai rapporté le prix, une selle de grande valeur, à la maison de ses propriétaires. Je leur ai laissé une note disant qu'elle avait suffisamment fait de progrès pour gagner cette selle et que dans ces circonstances, je croyais qu'ils devaient y repenser avant de la vendre. J'ai attaché la note à la selle et je l'ai laissée dans la salle à manger pour qu'ils la voient à leur retour.

Ils ont été enchantés des changements survenus chez My Blue Heaven et très heureux de pouvoir la garder. My Blue Heaven est devenue une championne de classe mondiale. De plus, ses propriétaires ont découvert chez elle une bonne volonté et un caractère doux qui ont rendu sa présence au sein de la famille encore plus précieuse que sa valeur comme cheval de concours.

My Blue Heaven a été un de mes premiers succès publics. Ce genre d'histoire s'est répété à plusieurs reprises au cours des trente années qui ont suivi. On venait me consulter au sujet des cas désespérés. En utilisant simplement la douceur, le respect et la communication, je parvenais à les transformer.

Il était devenu difficile de garder mon travail secret. Je devais toujours faire face au scepticisme et au mépris, mais de plus en plus de gens acceptaient mon travail et m'encourageaient à continuer.

J'ai été particulièrement bien accueilli en Angleterre. En 1989, j'ai été présenté à Sa Majesté la Reine Élizabeth II, moi, le fils d'un éleveur de chevaux américain. La route a été longue et difficile entre le désert du Nevada et le château de Windsor.

Cet événement a été le point tournant de ma carrière. La reine a approuvé mes méthodes et elle m'a prêté sa voiture personnelle pour faire une tournée de l'Angleterre et démontrer ma technique. Aujourd'hui, on peut même apprendre ma méthode de dressage de chevaux au West Oxfordshire College en Angleterre.

J'ai atteint l'objectif que je m'étais fixé à huit ans. Je crois cependant que je ne suis qu'un éclaireur qui marque le chemin pour ceux qui me suivront. Je regarde les jeunes qui apprennent mes méthodes et je sais qu'ils les perfectionneront pour communiquer avec les chevaux d'une façon que je ne peux même pas imaginer.

Dans un certain sens, je dois remercier mon père pour m'avoir donné un but dans la vie. Son travail avec les chevaux a fait naître en moi une passion. Sa violence a engendré mon rêve: qu'on évite à tous les chevaux les souffrances inutiles et le choc d'être «cassés».

Monty Roberts
Tel que raconté à Carol Kline

Chanceuse d'être en vie

Maria est une septuagénaire à la voix douce. Elle avait réussi à conserver son émerveillement d'enfant devant la vie. Elle accueillait chaque nouvelle journée avec un sourire aussi brillant que le soleil lui-même et les plus petites choses la rendaient heureuse: une colombe sur la mangeoire, la rosée fraîche du matin, la douce odeur du jasmin dans son jardin.

Veuve, Maria vivait seule dans un quartier délabré de Deerfield Beach en Floride. Un jour, alors qu'elle s'occupait de son jardin devant sa petite maison, Maria a été blessée accidentellement pendant une fusillade sur la rue. La balle avait traversé sa peau, causant une brûlure aiguë, et s'était logée dans sa cuisse droite. En criant de douleur, elle s'était effondrée sur le trottoir. Lorsque le facteur l'avait trouvée, une heure plus tard, sa jambe blessée saignait abondamment. On l'a amenée à l'hôpital juste à temps et le médecin avait dit à Maria qu'elle était chanceuse d'être toujours en vie.

De retour à la maison, Maria ne se sentait pas chanceuse du tout. Avant cet incident, elle s'estimait chanceuse d'être en bonne santé à son âge. Maintenant, même aller chercher le courrier lui demandait des efforts herculéens. Sans parler des frais médicaux qui s'accumulaient au point de rogner dangereusement ses maigres revenus.

Même si elle avait vu le quartier se détériorer, il semblait encore sécuritaire durant le jour. Mais ce n'était plus le cas. Pour la première fois de sa vie, Maria avait peur et se sentait seule et vulnérable.

Elle disait à son amie, Vera: «Je me sens défaite. Je ne suis qu'une vieille femme qui n'a rien à faire ni aucune place où aller.»

Quand Vera est venue la chercher pour un examen à l'hôpital, elle a eu peine à reconnaître sa vieille amie. Les doux yeux bruns de Maria étaient d'une lancinante tristesse et son visage était émacié et hagard. Les rideaux étaient tirés et ses mains tremblaient de peur en sortant sur le perron avec une canne pour soutenir sa jambe blessée.

Comme elles étaient en avance pour le rendez-vous de Maria, Vera, voulant lui faire plaisir, a emprunté une route détournée, plus agréable. À un feu rouge, Maria a soudain crié:

«Regarde le chat! Il essaie de traverser la rue en courant!»

Vera a levé les yeux juste à temps pour voir le petit chat noir et blanc s'élancer entre les voitures. Les deux femmes ont crié quand la bête a été frappée par une voiture, puis une deuxième et enfin une troisième. Le chat était immobile, son petit corps projeté sur la pelouse. Des voitures ont ralenti mais aucune n'est arrêtée pour lui porter secours.

«Nous devons sauver cette pauvre créature», dit Maria. Vera a rangé la voiture, en est descendue et s'est approchée de l'animal blessé. Miraculeusement, il était toujours vivant, mais sévèrement blessé.

«Prends ma veste et enveloppe le chat dedans», dit Maria. Vera a délicatement posé le chat entre elles sur la banquette. Il a regardé Maria et émis un faible miaulement plaintif.

«Tout ira bien, mon petit», a dit Maria, les larmes aux yeux.

Voyant une clinique vétérinaire, elles s'y sont présentées et ont raconté à la réceptionniste ce qui s'était passé.

Elle a répondu: «Désolée, nous ne pouvons accepter d'animaux errants.»

La clinique suivante leur a donné la même réponse. Enfin, à la troisième clinique, une aimable vétérinaire, Dr Susan Shanahan, a accepté de les aider et s'est rapidement mise à examiner le chat.

«Ce petit chat est chanceux d'être en vie», a-t-elle dit à Maria et à Vera. «Sans vous, il serait mort.»

Elle prit Maria à part: «Les blessures du chat sont très sérieuses. Il souffre d'un grave traumatisme crânien, ses pattes sont en bouillie et sa clavicule est fêlée. Il lui faudra beaucoup de traitements coûteux. La facture d'aujourd'hui se chiffrera à elle seule à 400 $ au moins.»

Maria a sursauté. Elle a pris son vieux porte-monnaie et a remis au médecin tout ce qui lui restait après avoir payé ses propres comptes, 50 $.

«C'est tout ce que j'ai pour l'instant, mais je vous promets que je vous payerai le reste plus tard. S'il vous plaît, n'endormez pas ce chat. Je l'emmènerai chez moi. Nous avons *besoin* l'un de l'autre.»

Voyant combien cela comptait pour Maria, Dr Shanahan s'est penchée et a pris les mains de Maria.

«Je pourrais me faire réprimander par mon patron pour ceci. En vérité, je ne devrais pas faire ce que je fais. Ne vous inquiétez pas, je payerai le tout de ma poche.»

Pendant le séjour du chat en clinique, Maria allait le voir chaque jour. Elle lui parlait doucement et flattait délicatement son menton de son petit doigt. Avec le temps, le chat s'est mis à ronronner et l'éclat est revenu dans les yeux de Maria.

Enfin, le chat a pu rentrer à la maison. Excitée comme une fillette le matin de Noël, Maria arborait un large sourire en entrant à la clinique pour venir chercher l'animal.

«Comment allez-vous l'appeler?» a demandé le Dr Shanahan.

Blottissant le chat dans ses bras, Maria a répondu d'une voix pleine de joie: «Je vais l'appeler Lucky, parce qu'ensemble nous avons trouvé une nouvelle vie.»

Christine E. Belleris

J'aimerais que les humains comprennent que les animaux sont totalement dépendants et impuissants, comme des enfants. Ils nous font confiance.

James Herriot

Chien de guerre

Démuselant les dogues de la guerre et criant de sa voix impériale: «Pas de merci, pas de merci.»

Shakespeare

Au Vietnam, nous avons tous fait des choix que nous devons assumer aujourd'hui. Par exemple, le nombre de cartouches ou la quantité d'eau à apporter. Ou, quand l'hélico de sauvetage dit «trois, pas plus» et que vous êtes quatre, laisser quelqu'un derrière ou «forcer» le pilote du Huey à vous prendre tous? Ou, pire encore, laisser un copain mortellement touché agoniser lentement dans le noir ou en finir rapidement.

Je ne regrette pas toutes mes décisions. Mes souvenirs ne sont pas tous du genre à me réveiller en sursaut à trois heures du matin pour attendre, les poings serrés, les premières lueurs de l'aube. Pendant ces jours sombres, il y a un beau souvenir: celui d'un gros berger allemand, du nom de Beau.

Beau était un chien éclaireur rattaché à mon unité d'infanterie. Son boulot consistait à débusquer les tunnels viêt-congs, les caches de munitions et les pièges. Comme plusieurs d'entre nous, sous des dehors de soldat, il cachait son côté chiot.

Quand nous devions attendre notre prochain déplacement, ce qui se présentait souvent, Beau nous amusait grandement. Son dresseur attachait un mince fil au travers d'une piste et nous défiait de l'enjamber. Le travail de Beau consistait à nous faire éviter les pièges. Il avait appris qu'il était mieux d'attaquer un GI que de voir une mine sauter et exploser à hauteur d'homme.

Je flattais Beau pendant quelques minutes et je partageais mes vivres avec lui. Puis, je me dirigeais vers le fil. Beau ne s'est jamais laissé «acheter» par mes offrandes de nourriture. Au moment où je m'approchais du fil, il courait se placer entre moi et le fil, baissait les oreilles et montrait des crocs capables d'écraser un os. Ses yeux ne quittaient pas les miens et son énorme poitrail se cabrait, prêt à bondir. Nous avons rencontré bien des dangers; mais quand Beau vous disait d'arrêter, personne n'avait le courage de faire un pas en avant.

Après avoir failli être mis en lambeaux par la grosse bête, je retournais à ma nourriture et nous redevenions les meilleurs amis du monde.

Par une journée humide et désagréable, mon unité traversait une région de jungle clairsemée et de grands arbres. J'étais le quatrième; Beau et son dresseur étaient derrière moi. Des coups de feu, étouffés par la chaleur et l'humidité, ont retenti au-dessus de nous. Nous nous sommes abrités dans les taillis. Beau s'est accroupi entre son dresseur et moi. «Dans les arbres», a murmuré quelqu'un. Comme je regardais, j'ai entendu de nouveaux coups de feu, venant de plus près. Beau a tressailli mais n'a pas montré autrement qu'il était touché. J'ai vidé trois chargeurs de vingt cartouches en direction du bruit. Mes compagnons, frénétiques, ont fait de même. En un instant, tout fut terminé.

J'ai regardé Beau. Il avait l'air bien. Nous lui avons dit de se rouler puis de se lever. C'est alors que j'ai vu le filet rouge foncé que nous ne connaissions que trop. Une balle lui avait transpercé une patte avant. Le trou semblait propre et saignait peu. Je l'ai flatté, il a remué la queue. Ses yeux, tristes et intelligents, semblaient me dire: «Ça va, Joe. Je ne suis pas important. Je ne suis ici que pour te protéger.»

Un hélico a ramené le chien et son dresseur. Je l'ai flatté et me suis demandé s'ils retourneraient le chien à la maison. J'étais bien naïf. Quelques semaines plus tard, ils étaient de retour. Beau avait appris encore plus de trucs pour me quêter ma nourriture.

Été 1967. Nous étions à mille mètres d'un grand champ près d'un petit hameau nommé Sui Tres. Il y avait une unité d'artillerie dans le champ. Autour, il y avait 2 500 viêt-congs. Notre tâche consistait à foncer et à libérer les gars des Howitzers.

Nous dormions à même le sol de la jungle, nos têtes sur nos casques. Juste avant l'aube, nous avons entendu le grondement sourd des mitrailleuses et des armes lourdes en provenance de Sui Tres. Il était temps d'affronter l'ennemi.

J'ai mis mon casque et pris le reste de mon attirail. Beau s'est amené pour voir s'il avait le temps de déjeuner. Dans la jungle sombre, on entendait le vacarme normal des jurons et des bruits d'équipement. Au-dessus de nous, les roquettes russes allaient bientôt éclater dans la cime des arbres. En approchant, les roquettes émettaient un sifflement qui ressemblait à une fuite de vapeur, suivi d'un silence et d'un tonnerre assourdissant qui vous écrasait les poumons.

Dans la poussière qui s'élevait, j'étais couché face contre terre, sans savoir comment je m'étais retrouvé là. Les gens demandaient les brancardiers. Mon casque était fendu et ne pourrait plus me servir. La longue queue noire de Beau s'agitait près de moi dans cette confusion. Il était étendu près de son dresseur, attendant les ordres. En vain, car le jeune soldat avait donné son dernier ordre.

J'ai doucement poussé Beau plus loin et je l'ai flatté. Sur ma main et sur son côté, il y avait un liquide visqueux. Un éclat d'obus l'avait blessé au dos, juste sous la colonne. Mais, il ne semblait pas s'en rendre compte. Il a tenté de retourner vers son dresseur. «Il ne s'en est pas tiré», dis-je en le serrant contre moi. «Il ne s'en est pas tiré.»

Chaque soldat reçoit un grand bandage dans un étui olive qu'il porte sur lui. Le règle veut qu'on utilise le bandage du blessé pour lui et qu'on garde le nôtre. Beau n'avait pas de bandage, je l'ai donc pansé avec le mien.

Ils ont emporté le chien avec les autres blessés. Je n'ai jamais revu Beau.

Le 18 septembre 1967, après onze mois et vingt-neuf jours au Vietnam, je retournais à la maison. J'avais perdu 15 kilos à cause de la malaria. Je me sentais comme un cadavre en bottes de combat, et j'en avais l'air. Mon cœur était envahi par la mort, par son odeur, par son apparence et par le déchirement de sa finalité.

J'attendais en ligne pour un examen de la vue. Nous avions tous une liasse de formulaires à compléter. Le gars devant moi m'a emprunté mon stylo. Il m'a dit qu'il avait été dresseur de chien. Il retournait maintenant à la ferme familiale dans l'Iowa. «C'est un bel endroit, dit-il. Je ne croyais pas que j'y retournerais.»

Je lui ai parlé de notre chien éclaireur et de son dresseur. Ses paroles m'ont coupé le souffle.

«Vous parlez de Beau!» s'est-il exclamé, excité et souriant.

«Ouais, comment tu savais?»

«On me l'a confié après la mort de mon chien.»

Pendant un instant, j'ai été heureux jusqu'à ce que deux pensées malheureuses me viennent à l'esprit. Je devais d'abord lui demander ce qui était advenu de Beau.

Ensuite, ce dresseur retournait à la maison et abandonnait cette bête loyale à son sort.

En regardant le bout de mes bottes, j'ai écrasé une cigarette invisible et je lui ai dit: «Alors, qu'est-il arrivé au chien?»

Le jeune soldat baissa le ton comme pour annoncer une mauvaise nouvelle. «Il est parti.»

J'ai eu un haut-le-cœur. Je ne voulais que m'asseoir et pleurer. J'imagine que le gars a remarqué que je serrais les poings et que les larmes me montaient aux yeux. Il a baissé la voix et m'a dit, en regardant nerveusement autour de lui:

«Hé! mec! Il n'est pas mort. Il est *parti.* J'ai obtenu que mon commandant signe un certificat de décès pour lui et je l'ai envoyé chez mes parents. Il y est depuis deux semaines. Beau est maintenant en Iowa.»

Ce que ce garçon de ferme maigrichon et son commandant ont fait est bien peu en comparaison de l'impact global de la guerre du Vietnam. Pour moi, par contre, cela représente ce que nous avions tous dans le cœur. De toutes les décisions prises au Vietnam, elle est celle avec laquelle je peux le mieux vivre.

Joe Kirkup

Tiny et le chêne

... on ne remplace pas le chat de la maison comme un vieil habit ou des pneus usés. Chaque nouveau chaton a sa propre personnalité, différente des autres. Je suis âgé de quatre chats. Cela veut dire que je mesure ma vie par les amis qui se sont succédé mais qui n'ont pas remplacé leurs prédécesseurs.

Irving Townsend

Il faisait peur à voir. Debout sur ses deux mètres, ses épaules étaient aussi larges que ma table de salle à manger. Il avait les cheveux aux épaules, et une barbe épaisse lui masquait la moitié du visage. Ses énormes bras et sa poitrine étaient couverts de tatouages. Il portait un jean graisseux et une veste en denim dont les manches avaient été coupées. Des chaînes cliquetaient sur ses bottes de moto et d'autres chaînes retenaient les clefs qui pendaient de sa large ceinture de cuir.

Il a tendu une main, de la taille d'une assiette à tarte, dans laquelle se trouvait un minuscule chaton difforme.

«Qu'arrive-t-il à Tiny, docteur?» a-t-il demandé de sa voix rauque.

Mon examen a révélé un défaut de naissance. La colonne de Tiny ne s'était pas soudée et il était paralysé des pattes arrières. Ni la chirurgie, ni la médecine, ni les prières ne pouvaient réparer cette tare. Je me sentais impuissant.

La seule chose que je pouvais dire à cet énorme géant poilu, c'est que son petit copain allait mourir. J'avais honte de mes préjugés mais j'étais nerveux, ne sachant comment le motard réagirait. Il n'est jamais agréable d'être porteur de mauvaises nouvelles, mais je ne savais pas à quoi m'attendre avec l'homme à l'allure menaçante que j'avais devant moi.

Avec beaucoup de délicatesse, j'ai expliqué le problème de Tiny et le sort qui lui était réservé, une mort lente. Je me suis armé de courage en attendant sa réponse.

Le gros bonhomme m'a simplement regardé de ses yeux qui perçaient à peine sa barbe et a dit tristement: «Je crois bien qu'il faudra l'endormir, n'est-ce pas Doc?»

J'ai dit que la meilleure façon d'aider Tiny était de lui donner une injection qui mettrait fin à sa pauvre vie. C'est ainsi que nous avons mis fin aux souffrances du chaton que son propriétaire tenait.

Quand tout fut terminé, j'ai été surpris de voir ce gros macho, de la taille d'un chêne, tenir Tiny pendant que des larmes coulaient sur sa barbe. Il ne s'est pas excusé de pleurer. Pourtant, d'une voix étranglée, il a réussi à me dire «Merci, Doc». Puis il est parti enterrer le corps de son petit compagnon.

Même s'il n'est jamais agréable de devoir mettre fin à la vie d'un patient, mon équipe et moi étions satisfaits d'avoir pu mettre un terme aux souffrances du chaton. Les semaines ont passé et nous avons oublié l'incident.

Un jour, notre motard géant est revenu à la clinique. Tout laissait présager que le même scénario se reproduirait. Le géant portait les mêmes vêtements et tenait un autre chaton dans sa main de la taille d'une assiette à tarte.

J'ai été très soulagé, après avoir examiné «Tiny Two», de l'avoir trouvé tout à fait normal et pétant de santé.

J'ai donné les premiers vaccins à Tiny Two, lui ai fait les tests pour les vers et discuté de son alimentation, des soins à lui donner et de ses besoins futurs avec son propriétaire aux faux airs de dur. Je savais maintenant que M. Le Chêne avait un cœur à la mesure de sa taille.

Je me demande combien d'autres motards de ce genre sont en réalité des âmes sensibles. En fait, quand je rencontre une bande de motards à l'air terrifiant sur la route, je me retourne pour jeter un coup d'œil rapide, au cas où j'apercevrais un minuscule chaton qui se pointerait la tête hors du side-car chromé ou même du devant d'un blouson de cuir noir.

Dennis K. McIntosh, D.M.V.

Le capitaine

Ce ne sont pas les humains qui ont tissé la toile de la vie. Nous ne sommes qu'un fil parmi d'autres. Quoi que nous fassions à la toile, c'est à nous que nous le faisons. Toutes choses sont reliées entre elles. Toutes choses sont rattachées.

Chef Seattle

Au centre de l'Iowa, sur les terres qui bordent une petite ville, il y a une vieille maison de ferme. Dans la maison, il y a plusieurs divans et fauteuils moelleux et confortables, des perchoirs faits à la main et des poteaux à griffes, des portillons pour les chats qui mènent à des enclos extérieurs où il y a du gazon, des arbres, et plein d'endroits ensoleillés où on peut s'étendre. Chaque jour, des bénévoles viennent soigner, flatter et nourrir les nombreux chats qui habitent seuls cette maison de ferme. Une petite équipe vient nettoyer la maison des chats comme un sou neuf.

On y trouve aussi des chiens. Derrière la maison, entre le jardin et le verger, il y a de grands chenils isolés et chauffés. Après que leur temps est écoulé à la fourrière municipale, les chiens trouvés sont amenés ici et des bénévoles viennent les promener, les nourrir et jouer avec eux.

Comme vous pouvez le constater, le Noah's Ark Animal Foundation gère un sanctuaire inhabituel où on ne tue pas. C'est un refuge détenant un permis de l'État qui fonctionne officiellement comme une organisation caritative à but non lucratif depuis une dizaine d'années.

Pendant des années, j'ai rêvé d'avoir un refuge pour les animaux perdus, errants ou abandonnés. Je voulais que ce refuge soit accueillant, comme une maison. De plus, je voulais que les animaux soient nourris avec des aliments sains et de haute qualité, et que leurs maladies soient traitées avec des remèdes naturels. Noah's Ark est la réalisation de mon rêve. C'est merveilleux de voir des animaux, mal nourris à leur arrivée au refuge, retrouver la santé. Leur pelage luisant et leurs yeux brillants compensent grandement pour les efforts investis.

Leur personnalité s'épanouit également. Il y a des chats qui se chargent de l'accueil en flairant tous les visiteurs.

Freddy, un magnifique et gros persan gris, était un de ceux qui faisaient l'accueil à Noah's Ark. J'ai surnommé Freddy «Le Capitaine». Ce n'était pas un chat affectueux, bien trop macho pour s'abaisser ainsi, mais il était sympathique et personne ne venait au refuge sans que le Capitaine ne le soumette à son inspection et se frotte à sa jambe une ou deux fois. Depuis six ou sept ans que Freddy était au refuge, il était devenu un de mes favoris.

Un samedi matin, j'ai reçu un appel d'un des bénévoles qui paniquait car, en allant nourrir les chats, il avait découvert quelque chose d'horrible. Je devais venir immédiatement.

Je n'étais pas préparé à ce que j'ai vu en arrivant au refuge. Au cours de la nuit, quelqu'un avait pénétré par effraction et, dans une rage meurtrière, avait tué et mutilé plus de vingt-cinq chats avec des instruments contondants.

Le spectacle était ahurissant et j'étais glacé d'horreur en appelant la police et les autres bénévoles pour leur demander de venir nous aider à soigner les blessés, ramasser les carcasses et tenter de remettre un peu d'ordre dans le refuge. La nouvelle s'est répandue et une église locale a envoyé une dizaine d'hommes pour nous aider, dont deux de ses ministres. Grâce à la compassion et aux efforts consciencieux de tous ces bénévoles, j'ai pu traverser les pires moments de la matinée.

Après une heure, j'ai été saisi de panique. *Les chiens?* J'ai couru vers le chenil et j'ai été soulagé de les trouver indemnes. Deux de nos chiens, Duke et Dolly, sont des mastiffs rhodésiens, énormes et à l'allure puissante, avec une âme de chiots, pour ceux qu'ils connaissent et aiment. Ce jour-là, j'étais bien content qu'ils aient l'air si féroces. Par contre, c'était probablement la raison pour laquelle ils n'avaient pas encore été adoptés, car aucun étranger serait assez écervelé pour les provoquer.

Quand je suis retourné à la maison, les bénévoles mettaient les carcasses des chats morts dans une brouette pour aller les enterrer. Les larmes me sont montées aux yeux en reconnaissant plusieurs de nos petits protégés. C'est alors que j'ai vu le corps gris, partiellement recouvert d'une serviette.

«Pas Freddy!» ai-je crié. «Faites que ce ne soit pas Freddy.» On ne voyait le Capitaine nulle part et j'ai dû me rendre à l'évidence que Freddy était mort.

J'ai eu la nausée en pensant que c'était probablement son caractère accueillant et confiant qui l'avait tué. Cet animal doux et innocent aurait ainsi approché des gens malintentionnés à son égard.

Les réactions d'inquiétude et de sympathie de notre communauté ont été étonnantes. Dès que le journal local a publié la nouvelle, les médias nationaux l'ont reprise et nous avons alors reçu des appels et des lettres de partout au pays. Des gens sont même venus des États voisins pour adopter les survivants.

Cette période a été difficile pour moi. Je ressentais la peine d'avoir perdu un grand nombre d'êtres que j'aimais et j'étais bouleversé par l'absurdité de la chose. Trois jeunes garçons de l'école secondaire locale ont été trouvés coupables du crime.

L'incident a profondément troublé notre petite ville. Les actes de violence survenus au refuge ont alimenté d'intenses débats. Un groupe, très restreint mais très présent, croyait que les victimes «n'étaient que des chats». Pourquoi en faire un plat? Cependant, la majorité des gens, amis des bêtes outragés, ont demandé que justice soit faite.

J'étais sidéré, prisonnier d'un mauvais rêve qui ne voulait pas finir. Rien ne pourrait ramener les chats morts. Pendant que nous nous acquittions de la triste tâche de chercher les animaux effrayés qui avaient pris la fuite, et que nous nous occupions des chats blessés ou traumatisés qui étaient restés, je pleurais mes amis, particulièrement Freddy.

Quelques jours plus tard, en sortant de la maison, j'ai vu un gros persan gris qui venait lentement vers moi. Je nous ai fait sursauter tous les deux quand j'ai crié: «Freddy!» de toutes mes forces. C'était bien lui! Tremblant et ébranlé, loin du chat affable et jovial qui accueillait les gens, mais vivant! Je l'ai pris dans mes bras et je l'ai serré contre moi. Mes larmes tombaient sur sa tête pendant que je le serrais et le flattais. Freddy était revenu.

Dans la confusion de cette horrible matinée, j'avais confondu Freddy avec un autre persan gris, à moitié caché par une serviette, dans la voiture pleine de cadavres. Freddy était un des chanceux qui avaient pu s'enfuir et échapper au sort des autres malheureux.

Par miracle, il ne fallut que quelques semaines pour que Freddy se remette complètement. Avec le temps, il a même repris son poste à l'accueil.

Dans ma peine, après l'incident, j'ai eu envie de tout laisser tomber, je n'avais pas le courage de continuer. C'est le courage du chat gris et sa capacité de faire à nouveau confiance qui m'ont aidé à guérir mon propre cœur anéanti. En fin de compte, je peux dire que c'est mon amour pour Freddy et ses semblables qui m'a décidé à continuer le travail de sauvetage de Noah's Ark, malgré ce qui était arrivé.

Si vous visitez notre refuge aujourd'hui, vous serez accueilli par un gros chat gris confiant qui s'avancera fièrement vers vous. Ses yeux verts ne rateront rien lors de son inspection, de la tête aux pieds. Si vous passez son examen, vous sentirez peut-être sa grosse masse contre vos jambes. Je suis heureux de vous dire qu'il n'y a rien de changé pour le Capitaine.

David Sykes

La femme qui prenait les poulets sous son aile

Les années rident la peau, mais c'est le manque d'enthousiasme qui ride l'âme.

Samuel Ullman

Minnie Blumfield n'a jamais perdu son enthousiasme. Elle croyait que l'âge amenait courage, perspicacité et un véritable amour de la vie sous toutes ses formes.

C'est pourquoi, à 86 ans, Minnie est devenu la seule gardienne d'un troupeau de poulets abandonnés le long d'une des autoroutes du Sud de la Californie suite à un accident de camion. Pour des raisons mystérieuses, connues des seuls bureaucrates de l'époque, les poulets n'ont jamais été rassemblés. Ils ont donc élu domicile dans les buissons bordant l'autoroute et on les a surnommés «Les poulets de l'autoroute de Hollywood».

À l'instar de plusieurs personnes âgées, Minnie vivait seule, ne bénéficiant que d'une maigre pension. Pour elle, une vie était précieuse et il ne fallait pas la gaspiller ou l'ignorer, même s'il s'agissait de poulets destinés à l'abattoir. Minnie voyait en eux des créatures qui avaient des besoins et, sans hésiter, elle est passée à l'action.

Pendant neuf ans, alors que les autres passaient à toute vitesse, sans s'inquiéter ni savoir, Minnie venait deux fois par jour donner à manger et à boire aux poulets abandonnés, à même ses maigres revenus. Les années passaient et elle s'inquiétait de la relève lorsqu'elle ne pourrait plus s'occuper de son troupeau d'adoption. Qui prendrait soin des pauvres créatures sans défense si elle ne pouvait plus venir les voir?

À l'âge de quatre-vingt-quinze ans, au moment où la vie commençait, cruelle, à faire ses ravages, Minnie a fait la connaissance d'une héroïne. Jodie Mann, une jeune actrice et membre fondatrice de l'association Actors and Others for Animals (Acteurs et autres citoyens pour les animaux), était la voisine de Minnie. Jodie avait souvent vu Minnie faire ses pèlerinages et avait aussi remarqué que la vieille femme nourrissait aussi plusieurs chats errants du voisinage. Jodie a rencontré Minnie pour lui demander si elle pouvait identifier le propriétaire d'un chien perdu qu'elle avait récemment recueilli. Rapidement, elles sont devenues de grandes amies. En apprenant que Minnie était inquiète du sort de son troupeau, Jodie a décidé de «monter aux barricades» et de trouver un endroit pour loger les poulets.

Jodie a trouvé un ranch où les poulets pourraient finir leurs jours et elle a organisé une battue pour capturer les volatiles. C'était une tâche intimidante qui a mis à l'épreuve la patience et la détermination de Jodie, ainsi que le désir de vivre de Minnie. Au moment où les poulets s'établissaient dans leur nouveau domicile, Minnie a dû entrer à l'hôpital des convalescents suite à une série d'attaques qui l'ont affaiblie.

Elles étaient très proches l'une de l'autre et Jodie lui rendait souvent visite. Jodie a trouvé un foyer pour Blackie, le chat de Minnie, et s'est assurée de prendre soin des chats errants qui en étaient venus à compter sur la vieille dame.

Plus tard, alors que j'étais président de Actors and Others for Animals, j'ai eu l'honneur de présenter à Minnie Blumfield, alors âgée de 96 ans, le premier trophée pour travail humanitaire de notre association. Inspiré et judicieusement nommé en l'honneur de Minnie, le trophée est une délicate statuette d'une femme gracieuse avec un chapeau de paille, des poulets à ses pieds et un chat endormi niché confortablement dans ses bras.

Tous ceux qui ont assisté à cette cérémonie ont été inspirés de respect et d'admiration par l'histoire étrange des poulets abandonnés superposée à la détermination de Minnie. Plusieurs ont été émus aux larmes quand la vieille dame frêle au grand cœur, dont le visage paralysé baignait dans les larmes, a réussi à murmurer «Merci».

Minnie n'est plus avec nous, mais son intérêt pour les autres créatures a été perpétué dans le trophée qui porte son nom et lui ressemble. Son courage et son exemple de générosité continuent d'être une source d'inspiration pour moi, pour Jodie et pour tous ceux qui, dans notre association, poursuivent la tâche de prendre soin des créatures vivantes qui partagent notre planète, nos foyers et nos cœurs.

Earl Holliman
Président, Actors and Others for Animals

Darlene

Le premier devoir de l'amour est d'écouter.

Paul Tillich

Depuis trois ans, ma chienne, Pokey, et moi avons œuvré côte à côte comme bénévoles au programme de zoothérapie de l'hôpital pour enfants de Denver. Je qualifie souvent Pokey de «terreur» au lieu de terrier car à cette époque, dans sa jeunesse, elle ne cessait jamais de bouger. Ce n'est que durant ses visites à l'hôpital que son comportement changeait. C'est comme si une force intérieure la faisait bien se conduire. Chaque fois que Pokey et moi visitions les malades, nous étions témoins de petits miracles. Pourtant, un jour, il s'est produit un incident qui m'a amenée à comprendre à quel point Pokey pouvait donner.

Ce jour-là, le bureau des bénévoles m'a demandé de voir un patient au quatrième étage, l'étage d'oncologie. Pendant notre tournée, nous avons donc fait un arrêt à la chambre de Darlene.

Darlene était une jeune fille de seize ans, cheveux blonds aux épaules et le sourire facile. Je lui ai demandé: «Aimerais-tu recevoir une visite de Pokey?» Elle a accepté. J'ai tout de suite vu qu'il se passait quelque chose d'inhabituel. Ma petite boule de feu a sauté sur le lit et s'est immédiatement blottie dans son aisselle. Pokey a mis sa tête sur l'épaule de la jeune fille et tourné sa face vers celle de Darlene.

En regardant les grands yeux bruns, Darlene murmurait quelque chose à Pokey. Cela ne ressemblait certes pas aux rencontres habituelles avec les patients, où les jeux canins dominaient. Il était clair que ces deux-là étaient engagés dans quelque chose de sérieux. J'ai donc regardé la télévision. Au bout de trente minutes, Darlene a dit: «Merci beaucoup pour la visite. Je sais que vous avez d'autres patients à voir, je ne vous retiendrai pas plus longtemps. Vous ne pouvez pas savoir ce que cette visite représente pour moi.» Et elle nous a fait un sourire radieux.

Trois semaines plus tard, j'ai reçu un appel d'Ann, la coordonnatrice du bureau des bénévoles à qui j'avais raconté cette histoire. Elle a dit: «Je voulais simplement vous informer que Darlene, l'amie de Pokey, est maintenant au ciel.»

Darlene, la belle et brave fille de seize ans, avait reçu de bien mauvaises nouvelles le jour où nous l'avions visitée. Son cancer en était à sa troisième rechute. Le protocole de traitement ne prévoyait plus rien. Elle allait mourir, bientôt.

Darlene devait avoir peur. Pourtant, elle ne faisait confiance ni à sa famille, ni à ses amis, ni aux médecins, ni aux infirmières pour parler de ses peurs. Elle ne pouvait parler à aucun être humain, mais elle savait qu'elle pouvait partager son secret avec ce petit chien! Elle savait que Pokey n'en parlerait à personne... ne ridiculiserait pas ses rêves qui ne se réaliseraient jamais.

Nous ne saurons jamais ce que Darlene a dit ce jour-là, ni ce que Pokey a accompli en trente minutes d'un silence plein d'amour. Darlene savait ce que tous les amis des chiens savent de tout temps: aucun ami ne mérite plus notre confiance, n'est plus loyal et aimant qu'un chien.

Sara (Robinson) Mark, D.M.V.

Le petit chien dont personne ne voulait

Si les prières des chiens étaient exaucées, il pleuvrait des os du ciel.

Proverbe ancien

Quand papa a trouvé Tippy – ou, plutôt, quand Tippy a trouvé papa – il faisait très chaud dans ma ville natale du sud du Missouri. C'était l'été de 1979.

Durant toute sa vie, papa ne s'est jamais intéressé aux bêtes, mais à la vue de ce chiot, maigre et galeux, son cœur a été touché. Dès ce moment, cette petite chienne perdue est entrée humblement dans la maison.

Ce matin-là, papa avait servi les clients au magasin d'électronique où il travaillait à temps partiel depuis sa retraite. Tout à coup, un chiot terrifié et jappeur est entré en courant.

Ce soir-là, papa a raconté en rentrant à la maison: «J'ai vécu longtemps, mais je n'ai jamais rien vu d'aussi pitoyable.» Dans ses bras, il tenait une boîte de carton à l'intérieur de laquelle se trouvait un minuscule voyageur qui revenait de Dieu sait quel enfer.

Papa n'a pu retenir ses larmes plus longtemps. «Je n'ai pas pu la remettre à la rue. Regardez-la... nous devons faire quelque chose pour l'aider. Elle ne faisait que pleurer et elle avait si peur», a poursuivi papa pendant que maman prenait la boîte. «Regarde ses plaies ouvertes. Qui peut être assez cruel pour faire ça?»

Maman a regardé dans la boîte et ce qu'elle a vu était répugnant. «Il est trop tard pour elle», dit-elle à papa en hochant la tête, n'en croyant pas ses yeux. «Demandons au vétérinaire de mettre fin à ses souffrances.»

Pas plus gros qu'une théière, le misérable petit terrier était rongé par la maladie et la faim. Ses yeux veinés et exorbités dépassaient de son long museau effilé. Ses longues jambes maigres ressemblaient à du spaghetti mou enroulé sur un plat.

«Je suis désolé», a dit le vétérinaire à papa, le lendemain. «Il n'y a vraiment rien à faire, il est trop tard.»

Mais papa a insisté.

«D'accord, si vous voulez, vous pouvez toujours lui donner ces médicaments et couvrir ses plaies galeuses avec cet onguent. Ne vous faites pas d'illusions. Elle ne passera probablement pas le week-end.»

Papa a enveloppé le chiot malade et sans abri dans la vieille serviette de bain et l'a porté à la voiture. Cet après-midi-là, il l'a transporté doucement sous les érables dans notre parterre et a commencé ses traitements.

«Tous les jours, ton père porte cette pauvre créature misérable sous les arbres et masse ses plaies avec l'onguent», a dit maman. «Son corps est couvert de plaies purulentes. Il ne peut même pas dire de quelle couleur elle est, tout son poil a été arraché par la gale et l'infection.»

Papa a promis à maman: «Je ne la garderai pas si elle prend du mieux. Je lui trouverai un bon foyer si le traitement réussit.» Maman n'était pas très heureuse de le voir aider un avorton sale, répugnant, sans fourrure et aux jambes comme du spaghetti.

«Je ne crois pas que nous en viendrons là, soupira maman. Ne t'en fais pas si les médicaments ne donnent pas de résultats. Tu as fait tout ton possible.»

Malgré tout, chaque jour, à l'ombre des grands érables, papa soignait fidèlement le chiot sans poils aux jambes maigres, le petit chien perdu dont personne ne voulait.

Au cours des premiers jours qui ont suivi l'arrivée de la petite chienne errante dans la vie de papa, il n'y avait pas grand espoir de la sauver. La maladie et la privation de nourriture avaient fait leur œuvre cruelle. Seul un miracle pourrait la sortir de là.

Pendant de nombreux jours, par la fenêtre de la cuisine, maman regardait papa amener la petite chienne dans sa boîte sous les érables, où il soignait ses plaies négligées.

Personne ne se souvient du temps qu'il a fallu avant de voir un peu d'espoir dans le regard de papa et dans les yeux veinés de la chienne. Lentement, timidement et prudemment, la chienne a commencé à faire confiance à papa. Son premier battement de queue lui a fait un plaisir immense.

Maman n'avait jamais voulu participer à cette opération de sauvetage, car elle n'était pas intéressée à avoir un chien dans la maison et dans leur vie. Par contre, lorsqu'elle a vu l'expression de papa la première fois que la chienne s'est montrée enjouée, elle a compris que papa éprouvait plus que de la compassion.

Papa avait grandi dans une famille bourrue des montagnes qui exploitait une ferme sur les crêtes des monts Ozark. Enfant, il n'avait pas connu beaucoup de joies; et adulte, il avait trimé dur dans des emplois manuels. D'un naturel triste, son moral a pris du mieux quand il s'est occupé de redonner vie à la petite chienne Tippy, faible et galeuse, surtout quand il a réussi contre toute attente.

«Regarde-la! souriait maman. Tu as réussi! Son poil repousse et elle commence à jouer un peu. Personne ne donnait cher de sa peau, mais tu ne l'as pas abandonnée car tu croyais qu'elle pourrait s'en sortir.»

À mesure que le chiot prenait du mieux, son pelage montrait ses vraies couleurs, qui n'étaient pas les plus belles. Une tache blanche ici et là, une foule de points noirs estompés le long du museau et du poitrail, et des marbrures blanches sur le torse noir. Le bout blanc de sa queue lui a valu un nom commun pour un chien commun: Tippy.

Papa se plaignait: «J'ai tenté autant comme autant de lui trouver un bon foyer, mais personne ne cherche un petit chien en ce moment. J'ai cherché partout, je te le jure, j'ai vraiment essayé.» Maman savait qu'il avait fait autant d'efforts qu'un homme qui a à choisir entre son hamac et sa tondeuse à gazon pendant un chaud après-midi d'été.

Maman a répondu : «Je ne sais pas qui voudra d'elle. Même avec son pelage et ses plaies guéries, elle est toujours laide et dégingandée.»

Quelques semaines plus tard, alors qu'il venait sans succès d'essayer de l'échanger, papa a dit: «Je sais qu'elle n'est pas mignonne, mais nous devrons nous en contenter. Personne n'en veut.»

Voilà qu'il s'était prononcé. Maman savait que la petite chienne perdue dont personne ne voulait venait de s'enraciner.

Maman a décrété qu'elle coucherait dans la salle de lavage et non dans la maison. Papa et Tippy se sont pliés à ses règles et leur amitié singulière a éclos de manière réconfortante, car ils ont fini par avoir besoin l'un de l'autre quand papa a traversé de durs moments.

«Cette petite chienne a accompagné ton père dans les souffrances de son cancer au cours des trois années suivantes, rappelle maman. Parfois, je me dis que Dieu nous l'a envoyée pour qu'elle accompagne ton père pendant ses derniers jours.»

Après la mort de papa, maman s'est rendue dans la salle de lavage et a regardé la petite créature docilement blottie dans la boîte de carton qui lui servait de lit.

«Bon d'accord, Tippy, dit-elle doucement. J'imagine qu'il n'y a pas de mal à ce que tu viennes dans la maison de temps à autre. Je m'y sens bien seule.» À compter de cet instant, maman se sentit liée à la petite chienne ordinaire, comme si papa leur tendait la main pour les aider dans ces moments difficiles.

Au cours des mois qui ont suivi, Tippy et maman sont devenues inséparables. La boîte qui lui servait de lit a été déménagée de la salle de lavage à sa chambre, où elle est restée pendant les quatorze années qui ont suivi.

Maman raconte: «Tant que j'ai eu cette petite chienne, c'était comme si une partie de ton père était toujours là. Elle a remis de la vie dans la maison.»

Finalement, le temps et l'âge ont laissé leurs traces sur la petite amie de maman; elle est devenue aveugle et ses articulations ont commencé à la faire souffrir. Avec tristesse et regret, maman a demandé à mon frère de l'aider à mener Tippy à son dernier voyage chez le vétérinaire.

«Je me suis baissée pour prendre sa tête contre moi, raconta maman, et elle a collé son visage contre le mien comme pour me remercier de ce que nous avions fait pour elle.»

Tippy a vécu dix-sept ans après son périple de terreur dans la circulation, dans les entrepôts abandonnés, dans la douleur et dans la souffrance avant de trouver mon père.

En repensant à ces années, il me semble aujourd'hui que le vrai miracle n'a pas été la force curative des mains aimantes de papa et de sa bonté pour la petite chienne dont personne ne voulait, mais plutôt l'effet qu'ils ont eu dans leurs vies respectives.

Jan K. Stewart Bass

Les miracles existent

Quand il y a beaucoup d'amour, il y a toujours des miracles.

Willa Cather

Vétérinaire frais émoulu de l'école, dans la mi-vingtaine, je savais tout. Je voyais le monde en noir et blanc; il y avait peu de zones grises. Je croyais que la médecine vétérinaire était précise, structurée, et qu'elle était régie par les lois de la science. Quelques années plus tard, j'ai vécu une expérience qui a affaibli ce mur d'inflexibilité.

Deux des clients les plus agréables de ma petite pratique dans une ville des montagnes étaient un couple âgé de retraités. On ne pouvait être plus doux et plus gentils qu'eux. Leur dévouement l'un pour l'autre et pour leurs bêtes était sans bornes. Où qu'ils aillent dans notre petite ville, leurs chiens les accompagnaient toujours. On croyait que ces deux adorables et loyaux chiens remplaçaient les enfants qu'ils n'avaient jamais eus. De plus, aux yeux de tous, la conviction religieuse de ce couple ne faisait aucun doute.

Par un froid matin d'hiver, ils sont arrivés à notre clinique avec le plus vieux de leurs chiens, Fritz. Leur gros et vieil ami ne pouvait mettre aucune pression sur ses pattes arrière sans souffrir terriblement. Le bon vieux chien évitait de bouger dans la mesure du possible. Lorsqu'il devait le faire, il se tirait avec les pattes avant un peu comme un phoque, en traînant ses pattes arrière atrophiées, tendues derrière lui. Peu importe les encouragements ou l'aide qu'on lui prodiguait, Fritz ne pouvait se lever ou se porter sur ses pattes de derrière. Animés des meilleures intentions, ses propriétaires lui avaient prodigué à la maison une série de traitements pendant l'hiver, mais sa condition s'était tout de même détériorée. Dans les yeux doux et intelligents du chien, on pouvait y lire aussi une grande douleur.

Mon associé et moi avons hospitalisé l'adorable vieux chien pendant quelques heures pour lui faire subir une batterie complète d'examens, faire des radiographies et autres tests. Tristement, nous en sommes venus à la conclusion qu'une dysplasie de la hanche, aussi vieille que lui, avait terriblement usé Fritz. Son grand âge, ses muscles atrophiés et douloureux, ses articulations déformées ne laissaient aucun espoir d'améliorer sa qualité de vie et de diminuer ses souffrances par la chirurgie. Nous nous sommes rendus à l'évidence que la seule manière de le soulager de ses douleurs serait une euthanasie sans souffrance.

Plus tard dans la journée, alors que la noirceur hivernale tombait sur notre petite ville dans les montagnes, le vieux couple est revenu à la clinique pour entendre notre verdict au sujet de leur bête adorée. Debout devant eux dans la salle d'examen, j'ai eu un frisson comme si j'avais été dehors par cette froide soirée d'hiver. De toute évidence, ils connaissaient déjà ma réponse car ils pleuraient avant même que je ne prenne la parole. En hésitant, j'ai expliqué la situation de leur vieil ami Fritz. Enfin, j'ai eu de la difficulté à leur dire que la meilleure chose à faire était de «l'endormir» pour mettre fin à ses souffrances.

Tout en continuant de pleurer, ils ont acquiescé d'un signe de tête. Puis, le mari a demandé: «Pouvons-nous attendre au matin avant de décider de l'endormir?» J'ai accepté. Il a ajouté: «Nous voulons retourner à la maison et prier ce soir. Le Seigneur nous aidera à décider.» Ils ont dit bonsoir à leur vieil ami et l'ont laissé se reposer à la clinique. Au moment où ils partaient, j'éprouvais beaucoup de sympathie à leur égard mais je me suis dit qu'aucune prière ne pourrait aider leur vieux chien.

Le lendemain matin, je suis entré tôt à la clinique pour traiter nos patients hospitalisés. Le chien handicapé du vieux couple était comme je l'avais laissé la veille. La douleur se lisait sur son visage, il était incapable de se lever, mais il avait toujours son air bon et intelligent. Une heure plus tard, le vieux couple est arrivé à la clinique. «Nous avons prié toute la nuit. Pouvons-nous voir Fritz? En le voyant, nous saurons ce que le Seigneur veut que nous fassions.»

Je les ai précédés vers la salle où se trouvait Fritz. En ouvrant la porte, j'ai jeté un coup d'œil dans la salle et j'ai été surpris de voir Fritz debout dans sa cage. Sa queue frétillait et il avait l'air sincèrement heureux d'entendre la voix de ses maîtres. On ne voyait plus de trace de douleur ou de dysfonction.

Une tempête de cris de joie, canins et humains, d'embrassades et de larmes, a marqué les retrouvailles de Fritz et du vieux couple. Fritz a bondi vers l'automobile, dans une exubérance juvénile, pendant que le couple se réjouissait.

Derrière eux, ils ont laissé un jeune vétérinaire qui venait d'apprendre que la vie n'était pas faite que de noir et de blanc. Il y avait beaucoup de place pour les zones grises. Ce jour-là, j'ai compris que les miracles existaient.

Paul H. King, D.M.V.

5

ÉTONNANTES BÊTES

J'ai appris à être très prudent
dans l'usage du mot impossible.

Wernher von Braun

Doctola

Le... chien, le plus fidèle des amis dans la vie, d'abord pour nous accueillir, avant tout pour nous défendre.

Lord Byron

J'ai obtenu mon diplôme de vétérinaire en juin 1984. En juillet, je sautais dans un avion à destination du cœur de l'Afrique, sombre et profonde, pour occuper, à compter du mois d'août, mon poste d'officier vétérinaire du district de Thyolo. Ma vie de nouveau volontaire du Peace Corps se déroulait à toute vitesse.

Ma tâche consistait à donner des soins vétérinaires et à administrer le programme de contrôle des maladies dans les districts de Thyolo et de Mulanji, au Malawi, en Afrique centrale. Avec pour tout équipement une trousse de médicaments, périmés pour la plupart, et une moto de 100 cc, je devais superviser vingt-trois techniciens vétérinaires dispersés dans mes districts et protéger la santé des bovins, moutons, chèvres, porcs, volailles et animaux de compagnie de toute la région.

J'étais en poste depuis un mois quand, à mon retour au bureau un soir après la tombée de la nuit, j'ai été accueilli par un vieil homme. Il était assis dans la chaise que j'avais installée à la porte de mon bureau. Sur ses genoux, il tenait une boîte pleine de chiots. J'ai répondu à ses salutations et je l'ai invité à entrer dans mon cabinet. Nous parlions en chichewa, le dialecte local.

Le vieil homme était le Dr Mzimba, un des sorciers les plus connus du district. En Afrique, le sorcier est un chef spirituel et un sage, en plus d'être un guérisseur pour son peuple. Il paraissait avoir soixante ans, mais il aurait pu en avoir vingt de plus ou de moins.

Pour venir chez moi, il avait marché deux heures jusqu'à l'arrêt du bus le plus près et fait le voyage de six heures en autobus. Il était parti de chez lui à 5 h le matin et m'attendait depuis son arrivée, à 16 h. Il était 19 h. Il m'a expliqué qu'il ne pouvait rien pour les chiots malades qu'il m'avait apportés, car sa médecine ne valait que pour les humains. Il aimait beaucoup les chiots et avait «vu» que certains d'entre eux étaient destinés à faire de grandes choses. Il m'a demandé de faire tout en mon pouvoir pour les sauver.

Les six chiots étaient très malades. Je lui ai expliqué qu'il faudrait plusieurs jours de soins intensifs si on voulait en sauver quelques-uns. Il a accepté de me les confier. Il a déclaré qu'il reviendrait les chercher quand il sentirait le moment venu. Sur ce, il est parti.

Les chiots avaient besoin de soins jour et nuit. Ils me suivaient partout. Je ne disposais que d'une solution électrolyte maison et d'antibiotiques. Malgré mes efforts, les chiots mouraient l'un après l'autre. Le sixième soir, les deux seuls chiots restants sont venus se coucher en même temps que moi. Je m'attendais à ce qu'ils subissent le même sort que les autres de la portée. Leur condition ne semblait pas s'améliorer et j'étais certain qu'il ne leur restait plus assez de force pour se battre une journée de plus.

J'ai été rempli de joie de trouver à mon réveil deux chiots heureux et vifs qui geignaient pour attirer l'attention. Ils avaient l'air de squelettes, mais de squelettes vivants et alertes. Ils avaient un appétit vorace. Les fréquents petits repas ont vite été remplacés par de fréquents gros repas et ils eurent tôt fait d'engraisser.

Ils sont restés chez moi un autre dix jours et je me demandais si le Dr Mzimba reviendrait les chercher. Le dixième jour de leur rétablissement, Dr Mzimba est arrivé. Il était très heureux que les deux chiots aient survécu et soient en santé. Un des chiots était noir avec les pattes blanches et une grosse étoile blanche sur la poitrine. L'autre était brun avec une grosse tache blanche du côté droit de sa face. Tous deux avaient l'épine dorsale saillante.

J'ai regardé les chiots lécher et embrasser le visage du vieil homme pendant qu'il les prenait dans ses bras et les serrait contre lui. Il a sorti quelques pièces et des billets froissés et m'a demandé ce qu'il me devait. Je lui ai chargé mes honoraires habituels de consultation, 5,00 $ au total. Il a payé avec plaisir et, avant de partir, il m'a fait l'honneur de me demander de nommer les deux chiots. J'ai bien réfléchi et j'ai fini par choisir le nom de Bozo pour le noir et de Skippy pour le brun. Je lui ai dit que j'avais déjà eu des chiens qui portaient ces noms et qu'ils avaient été mes meilleurs amis.

«Venez me voir souvent, Doctola, dit-il. Ces chiots vous reconnaissent maintenant comme leur mère et leur père. Ils ne vous oublieront jamais et un jour, ils vous rendront votre bonté.» Dr Mzimba et moi avons échangé une poignée de main et nous sommes quittés.

Au cours des dix-huit mois qui ont suivi, j'ai vu le Dr Mzimba, Bozo et Skippy au moins une fois par mois. Aux deux ou quatre semaines, je faisais une tournée de trois jours des villages du district de Thyolo pour offrir mes services de vétérinaire là où on en avait besoin. À la fin de chaque tournée, j'arrêtais dans le village du Dr Mzimba. Il m'offrait gentiment l'hospitalité chaque fois que je passais par là.

J'ai vu Bozo et Skippy se développer pour devenir de magnifiques chiens. Ils ont chacun atteint les 40 kilos. Ils étaient deux fois plus gros que les autres chiens du village et étaient férocement loyaux envers Dr Mzimba. Je leur ai donné leurs vaccins, je les ai traités pour les vers et j'ai soigné leurs blessures et autres maux. C'était comme retrouver les membres de ma famille. Chaque fois qu'ils me voyaient, ils redevenaient instantanément des chiots enjoués.

Les gens du village chérissaient les chiens. À chacune de mes visites, on me racontait une nouvelle histoire: comment les chiens avaient fait fuir un voleur de bétail ou comment ils avaient défendu le village contre des hyènes et des chacals.

Un jour, les chiens ont tué un léopard. Ils ont été sérieusement blessés pendant le combat. Les deux chiens avaient subi de multiples perforations et lacérations et perdu beaucoup de sang. J'ai passé la nuit à recoudre leurs nombreuses blessures. Le matin, j'ai été surpris de voir les deux chiens se lever et manger un peu.

Avant de remonter sur ma moto, j'ai donné mes instructions au Dr Mzimba pour les soins et je lui ai laissé des antibiotiques. Il m'a remercié chaleureusement et m'a serré contre lui avec les larmes aux yeux.

«Voilà la deuxième fois que vous leur sauvez la vie, Doctola. Dorénavant, ils seront vos protecteurs. Je l'ai vu!»

Cinq mois plus tard, j'étais à nouveau dans les environs à l'occasion d'une autre de mes tournées de trois jours. J'approchais du village où habitait le Dr Mzimba et le voyage était difficile. Il avait plu et le chemin de terre s'était transformé en rivière de boue. J'avais fait quatre chutes au cours des quarante dernières minutes et j'avais beaucoup de difficulté à escalader la côte qui menait au village du Dr Mzimba. Il pleuvait et j'étais trempé, couvert de boue; j'avais froid et j'étais de mauvais poil alors que j'essayais de garder ma moto sur la piste glissante.

Je me suis arrêté net. Devant, mon phare éclairait une hyène qui me bloquait le passage. Elle s'avançait lentement vers moi, aucunement intimidée par le phare ou le bruit du moteur. J'ai klaxonné sans résultat. La hyène continuait d'avancer lentement et d'un pas régulier. *Étrange!* me suis-je dit. Dans le passé, elles fuyaient toujours effrayées. C'est alors que j'ai vu le sang et la salive qui dégoulinaient de sa gueule et son regard vide. La rage!

Comme la hyène venait toujours vers moi, j'ai essayé de reculer et de conserver une bonne distance entre nous. La boue était trop glissante et épaisse pour courir et le sentier trop étroit pour faire demi-tour.

Ma seule issue était de m'enfuir et d'espérer que la bête attaquerait ma moto au lieu de moi. Malgré mes efforts pour conserver un bon écart entre nous, je ne pouvais reculer assez rapidement et la hyène s'approchait de moi. Elle a émis un rire macabre en faisant claquer ses puissantes mâchoires dans le vide. J'allais m'enfuir lorsque Bozo et Skippy sont apparus de chaque côté de moi. Ils ont sauté sur le sentier, se plaçant entre la hyène et moi. Leurs muscles étaient tendus et les poils de leurs dos étaient hérissés. Les crocs sortis, ils ont défendu leur position.

La bataille qui a suivi a été féroce et sanglante. Les chiens n'ont jamais crié pendant qu'ils combattaient avec une vitesse et une endurance que je croyais impossibles. La lutte à mort s'est déroulée dans le faisceau lumineux de la moto. À la fin, la hyène était morte et les chiens avaient disparu. Je les ai appelés, mais en vain.

Je me suis précipité vers la maison du Dr Mzimba. Glissant et tombant dans le sentier, je pensais aux traitements que je devrais faire: sutures, antibiotiques, injection antirage, solutés et traitement contre les chocs. Je devais tellement à ces magnifiques chiens. Je devais les retrouver, les remercier et les garder en vie. C'était la moindre des choses.

En arrivant chez le Dr Mzimba, je l'ai trouvé patiemment assis dans une chaise sur la véranda devant sa hutte. J'ai couru vers lui et je lui ai raconté ce qui venait de se passer dans un mélange de chichewa et d'anglais. J'étais à bout de souffle. Je ne savais pas s'il me comprenait. Apparemment, oui.

«Venez, je vais vous montrer les chiens», dit-il en me faisant signe de le suivre.

«J'ai pris mes trousses et je l'ai suivi derrière la hutte. Il s'est arrêté et m'a montré deux tombes. «Bozo et Skippy dorment là. Il y a trois jours, une bande de hyènes est descendue des collines pour attaquer notre bétail. Bozo et Skippy se sont battus comme dix chiens et ils ont mis les hyènes en fuite et sauvé notre bétail. Mais, c'était trop pour eux, Doctola», dit-il, les larmes coulant sur ses joues. «Tous deux sont morts peu après la bataille. Nous n'avions pas le temps de vous appeler.»

Incrédule, j'ai dit: «Ce n'est pas possible. Il y a quinze minutes à peine, ils m'ont sauvé la vie. Je sais que c'était eux. Je les ai vus et je sais que c'était eux.» Je suis tombé à genoux et j'ai regardé le ciel noir. L'averse se mêlait à mes larmes. «Il n'y a pas deux autres chiens dans ce pays qui ressemblent un tant soit peu à Skippy et Bozo. C'étaient eux!» dis-je suppliant, en espérant que la vérité soit autre et en continuant de pleurer à chaudes larmes.

«Je vous crois, Doctola», a dit le sage africain en s'agenouillant à mes côtés. «Je vous ai dit qu'un jour ces chiens vous remercieraient pour votre bonté. Ils seront toujours là pour vous protéger!»

Herbert J. (Reb) Rebhan, D.M.V.

L'amour d'une mère

Je suis pompier à New York. Ce métier a ses côtés sinistres. Lorsqu'on voit le commerce ou le domicile d'une personne détruit, ça vous brise le cœur. On voit beaucoup de terreur et parfois même des morts. Par contre, le jour où j'ai trouvé Scarlett a été différent. Ce jour-là, c'est la vie qui a gagné. Sans parler de l'amour.

C'était un vendredi. Tôt le matin, nous avions répondu à une alarme: un garage brûlait à Brooklyn. En revêtant mon équipement, j'ai entendu des chats miauler. Je n'avais pas le temps de m'arrêter, il faudrait que ces chats attendent la fin de l'alerte.

C'était un gros incendie et plusieurs casernes avaient répondu à l'appel. On nous a dit que l'immeuble avait été évacué et que tous ses occupants étaient sains et saufs. J'espérais que ce soit vrai, le garage était complètement envahi par les flammes et il aurait été futile d'essayer de sauver quelqu'un. Il a fallu beaucoup de temps aux nombreux pompiers pour maîtriser le sinistre.

À ce moment, j'étais libre d'aller voir ce qui se passait du côté des chats dont j'entendais toujours les miaulements. Une fumée dense et une chaleur intense se dégageaient encore de l'immeuble. Je ne voyais pas très bien, mais j'ai suivi les miaulements. Sur le trottoir, à quelque deux mètres du garage, j'ai trouvé trois petits chats terrifiés, blottis les uns contre les autres. Puis, j'en ai trouvé deux autres, un dans la rue, un de l'autre côté de la rue. Ils avaient dû se trouver dans l'édifice, car ils étaient sérieusement roussis. J'ai demandé une boîte et quelqu'un parmi les curieux m'en a trouvé une. J'ai mis les cinq chatons dans la boîte et je les ai déposés sur le porche d'une maison voisine.

J'ai ensuite cherché leur mère. Elle avait certainement pénétré dans le garage en flammes pour transporter ses chatons, un à un, sur le trottoir. Il était difficile d'imaginer cinq voyages dans cet enfer de chaleur et de fumée mortelle. Elle avait ensuite tenté de les amener, un à un, loin de l'édifice, de l'autre côté de la rue, mais n'avait pu terminer son travail. Que lui était-il arrivé?

Un policier m'a dit qu'il avait vu un chat dans le terrain vague près de l'endroit où j'avais trouvé les deux derniers chatons. Elle était là, gisant par terre et gémissant, terriblement brûlée, ses yeux bouffis par les cloques, ses pattes noircies et sa fourrure roussie par tout le corps. Par endroits, on pouvait voir la peau rougeâtre au travers la fourrure brûlée. Elle était trop faible pour bouger.

Lentement, je me suis approché en lui parlant doucement. J'ai pensé qu'elle était sauvage et je ne voulais pas l'affoler. Quand je l'ai prise, elle a hurlé de douleur mais n'a pas tenté de s'échapper. La pauvre bête puait le poil et la peau brûlés. Elle m'a regardé, totalement épuisée puis s'est laissée aller dans mes bras dans la mesure où sa douleur le lui permettait. En sentant sa confiance en moi, ma gorge s'est serrée et les larmes me sont montées aux yeux. Je voulais à tout prix sauver cette brave chatte et sa famille. Je tenais littéralement leurs vies entre mes mains.

J'ai déposé la chatte dans la boîte avec les chatons miauleurs. Malgré son état pathétique, la mère rendue aveugle a fait le tour de la boîte et touché chaque chaton de son nez, l'un après l'autre, pour s'assurer qu'ils étaient bien là et en sécurité. Elle était satisfaite malgré sa douleur, car elle savait maintenant que tous ses chatons étaient là.

Il était clair que les chats avaient un pressant besoin de traitement. J'ai pensé au refuge de Long Island, le

North Shore Animal League, où j'avais apporté un chien sérieusement brûlé que j'avais sauvé onze ans plus tôt. Si quelqu'un pouvait les aider, c'était eux.

J'ai appelé la Animal League pour les avertir que j'arrivais avec une chatte et ses chatons gravement brûlés. Je me suis rendu le plus rapidement possible sans prendre le temps de retirer mon équipement qui sentait la fumée. À mon arrivée, j'ai vu deux équipes de vétérinaires et techniciens qui m'attendaient dans le stationnement. Ils ont vivement emporté les chats dans les salles, la mère sur une table avec une équipe, les chatons sur une autre avec la seconde équipe.

J'étais complètement épuisé suite à l'incendie. Je suis resté dans la salle d'attente, évitant de leur nuire. Je ne croyais pas que ces chats survivraient. Par contre, je ne pouvais les abandonner. Après une longue attente, les vétérinaires m'ont dit qu'ils garderaient les chatons et leur mère sous observation pour la nuit, mais qu'ils craignaient pour la mère.

J'y suis retourné le lendemain et j'ai attendu longtemps. J'allais perdre espoir quand les vétérinaires sont finalement venus me rencontrer. Bonne nouvelle, les chatons survivraient.

«Et la mère?» ai-je demandé. Je craignais leur réponse.

Il était encore trop tôt pour se prononcer.

Chaque jour, c'était la même histoire: ils ne pouvaient se prononcer. Une semaine environ après l'incendie, je suis arrivé au refuge un peu triste. Je me disais: *Si la mère devait s'en sortir, elle irait déjà mieux. Combien de temps encore peut-elle se maintenir entre la vie et la mort?*

En entrant, les vétérinaires m'ont accueilli avec un grand sourire et ont levé le pouce en l'air! Non seulement sauverait-on la mère, mais elle n'avait pas perdu la vue.

Si elle devait vivre, il lui fallait un nom. Un des techniciens a suggéré Scarlett, à cause de sa peau rougie.

Sachant ce que Scarlett avait enduré pour ses chatons, mon cœur a fondu en les voyant réunis. Et quelle est la première chose qu'a fait maman? Un nouvel inventaire! Elle a touché chacun de ses chatons, nez à nez, pour s'assurer qu'ils étaient tous en sécurité et en santé. Elle avait risqué sa vie, cinq fois plutôt qu'une, et elle avait été récompensée. Tous ses petits avaient survécu.

En tant que pompier, je vois souvent des actes d'héroïsme. Ce que Scarlett m'a montré ce jour-là les dépassait tous. Le genre d'acte de bravoure dont seul est capable l'amour d'une mère.

David Giannelli

La fille de Rayon-de-soleil

Le bébé gorille était né au zoo. Sa mère, Lulu, ne produisait pas assez de lait pour la nourrir correctement; les gardiens du zoo sont donc intervenus. Tour à tour, travaillant en équipe, ils ont tenu le bébé gorille de deux mois dans leurs bras, 24 heures par jour, imitant la manière dont les vraies mamans gorille s'occupent de leurs petits. Le bébé a profité et est devenu une créature exceptionnellement aimante et douce. Les gardiens l'ont baptisée *Binti Jua,* ce qui, en Swahili, signifie «fille de Rayon-de-soleil».

Comme elle était née en captivité, elle aimait sa vie de gorille de zoo. Elle grimpait dans les arbres de son enclos et s'amusait joyeusement avec les autres gorilles.

Il y avait un vieux gorille mâle, un énorme dos gris, qui n'avait jamais montré d'intérêt à se reproduire. Quelque chose l'a attiré chez Binti Jua et elle est devenue enceinte à l'âge de six ans.

Les gardiens étaient inquiets, car n'ayant pas eu de modèle du rôle maternel, Binti Jua ne serait peut-être pas préparée à s'occuper de son petit. Ils ont donc décidé de lui donner des leçons. Ils ont utilisé un animal en peluche pour remplacer le bébé et lui ont enseigné à donner le sein à son «bébé» et à le tenir constamment, comme le font les gorilles en liberté.

Elle a été une bonne élève et quand sa fille, Koola, est née, Binti Jua était la mère idéale. Ce mélange d'instinct maternel et d'aisance avec les humains ont fait d'elle, plus tard, une héroïne internationale.

Un jour, alors que Koola avait environ un an et demi, Binti Jua était dans son enclos extérieur et tenait son bébé comme à l'accoutumée. Les visiteurs du zoo appréciaient le spectacle des gorilles lorsque, soudain, un petit garçon de trois ans, qui jouait au bord de la clôture de l'enclos, a fait une chute de six mètres jusqu'au plancher de béton.

Il y a eu un bruit sinistre et la mère du petit garçon est devenue hystérique et s'est mise à crier à l'aide.

Immédiatement, Binti Jua, tenant toujours Koola, s'est rendue près de l'enfant inconscient. La foule retenait son souffle, terrorisée. Inconsciemment, les gens tendent à associer les gorilles au monstre du cinéma, King Kong. Que ferait ce gros singe avec le petit garçon?

D'abord, la maman gorille a levé le bras du garçon, comme pour vérifier s'il était en vie. Puis, doucement, elle a pris l'enfant et l'a serré tendrement sur sa poitrine. En le berçant doucement, elle s'est dirigée vers la porte que les gardiens du zoo utilisaient pour accéder à l'enclos. Lorsqu'une autre femelle gorille l'a approchée, Binti Jua a émis un grognement sourd, l'avertissant de s'éloigner. La porte était maintenant ouverte et les gardiens attendaient, accompagnés des ambulanciers qui avaient été mandés pour aider le petit garçon blessé. Le gorille a doucement déposé le garçon devant la porte et les ambulanciers ont amené le petit. Une fois la porte refermée, Binti Jua s'est dirigée lentement vers son arbre et a recommencé à s'occuper de son bébé.

Les spectateurs étaient abasourdis. L'événement était assez dramatique en lui-même sans que le rôle de l'héroïne ne soit joué par un gorille. Binti Jua était l'héroïne idéale, ne recherchant ni la célébrité ni une récompense.

Le garçon s'est rétabli et il n'a pas gardé de séquelles de son aventure. Le monde s'est ému du geste de Binti Jua. Des lettres et des cadeaux sont arrivés de partout dans le monde. L'American Legion lui a décerné une médaille et une association de parents de la Californie l'a même nommée membre honoraire.

N'écoutant que son cœur, Binti Jua a fait ce que toute autre mère aurait fait: elle a protégé et aidé un enfant. Mais ce gorille ne s'est pas soucié que l'enfant soit d'une autre espèce que la sienne. Elle a fait montre des qualités que nous, les humains, considérons les plus estimables: l'amour et la compassion pour tous.

Carol Kline

Les yeux de Tex

Selon Eric Seal, le petit chien maigre à ses pieds avait peut-être cinq semaines. Durant la nuit, quelqu'un avait déposé la petite femelle bâtarde sur le terrain des Seal.

«Avant que tu ne le demandes», dit-il à sa femme, Jeffrey, «la réponse est *non!* Nous ne le garderons pas. Nous n'avons pas besoin d'un autre chien. Lorsque nous en voudrons un, si le cas se présente, ce sera un chien de race.»

«De quelle race crois-tu qu'elle est?» lui demanda-t-elle en ignorant ce qu'il venait de dire.

Eric secoua la tête. «Difficile à dire. D'après ses marques de couleur, la manière dont ses oreilles tombent à moitié, je dirais qu'elle a une part de berger allemand.»

Jeffrey dit: «Nous ne pouvons pas la jeter à la rue. Je vais la nourrir et lui faire sa toilette. Ensuite, nous pourrons lui trouver un foyer.»

Se tenant entre eux, la petite chienne semblait sentir que sa destinée se décidait. Sa queue battait de manière hésitante pendant qu'elle les regardait tour à tour. Eric a remarqué que ses yeux étaient brillants et vifs même si on voyait ses côtes à travers sa fourrure terne.

Finalement, il a haussé les épaules. «Bon! Ça va. Si tu veux t'amuser avec elle, fais-le. Mais je t'avertis, nous n'avons pas besoin d'un bâtard.»

Le chiot s'est blotti confortablement dans les bras de Jeffrey alors qu'ils retournaient vers la maison. «Autre chose, dit Eric. Attendons quelques jours avant de la mettre dans l'enclos avec Tex. Nous ne voulons pas que Tex attrape quelque chose. Il a assez de problèmes en ce moment.»

Tex était un chien de troupeau de six ans que les Seal avaient élevé depuis qu'il était chiot. Il était exceptionnellement aimable pour un blue-heeler, une race créée par les éleveurs australiens. C'est ainsi que même s'il partageait déjà sa niche avec un chat jaune, Tex a bientôt fait une place au nouveau chiot qu'on avait appelé Heinz.

Peu de temps avant que Heinz ne fasse son apparition, les Seal avaient remarqué que Tex semblait avoir des problèmes de vision. Leur vétérinaire leur avait dit que le chien avait des cataractes, qui étaient opérables par chirurgie.

Quand ils l'ont amené chez un spécialiste de Dallas, il a constaté que les problèmes de vue de Tex n'étaient que partiellement dus à des cataractes. Il a pris rendez-vous pour Tex aux laboratoires vétérinaires du collège local.

Les médecins du laboratoire ont constaté que Tex était déjà aveugle. Ils ont dit qu'aucun traitement, aucune opération n'auraient pu retarder la perte de vision de Tex.

En revenant à la maison, les Seal ont constaté qu'ils avaient vu Tex s'adapter à sa cécité au cours des mois précédents. Ils comprenaient maintenant pourquoi Tex ratait parfois une barrière ou qu'il se frappait le nez sur une clôture de broche. C'était pour la même raison qu'il empruntait toujours le chemin de gravier pour aller et venir de la maison. S'il s'en écartait, il cherchait de gauche à droite jusqu'à ce qu'il le retrouve.

Pendant que le couple s'inquiétait des problèmes de Tex, Heinz avait grandi et était devenue bien en chair et pleine d'entrain, et sa robe brune et blanche éclatait de santé.

Bientôt, il fut évident que le petit berger allemand croisé deviendrait un gros chien, trop gros pour continuer à partager sa niche avec Tex et le chat jaune. Au cours d'un week-end, Eric a construit une autre niche à côté de celle que les chiens avaient partagée.

C'est alors qu'ils se sont rendu compte que ce qu'ils croyaient être un jeu de chiot – Heinz qui poussait et tirait sur Tex lorsqu'ils couraient ensemble – avait un but précis. Sans aucun entraînement, Heinz était devenue le «chien guide» de Tex.

Chaque soir, quand les chiens se préparaient à dormir, Heinz prenait doucement Tex par le nez et le guidait vers sa niche. Le matin, au lever, elle l'aidait à en sortir.

Lorsque les deux chiens approchaient d'une barrière, Heinz utilisait son épaule pour aider Tex à passer. Quand ils couraient le long de la clôture de leur enclos, Heinz se plaçait entre Tex et la broche.

«Les jours ensoleillés, Tex aime dormir étendu sur l'allée asphaltée, dit Jeffrey. Quand une voiture s'approche, Heinz le pousse pour le réveiller et le guide loin du danger.

«Plusieurs fois, nous avons vu Heinz écarter Tex des chevaux. Au début, nous ne comprenions pas comment ils pouvaient courir côte à côte à toute vitesse à travers les prés. Un jour, les chiens m'ont accompagnée pendant que je faisais courir mon cheval et j'ai entendu Heinz «parler» : elle poussait de petits grognements pour permettre à Tex de la suivre.»

Les Seal étaient renversés. Sans entraînement aucun, la jeune chienne avait découvert les moyens nécessaires pour aider, guider et protéger son compagnon aveugle. Il était clair que Heinz partageait plus que ses yeux avec Tex, elle partageait son cœur.

Honzie L. Rodgers

La souris de Noël

Il était une fois... nous vivions dans une partie d'une énorme maison de pierre centenaire au passé intéressant. Située à la croisée de deux routes, sur une crête dans la campagne autour de Lockport, New York, la maison avait déjà été l'atelier d'un forgeron. Auparavant, on disait qu'elle avait été un relais de diligence. Même si elle ressemblait à une forteresse, c'était une maison magnifique et nous l'adorions. Elle avait du caractère et du charme, en plus des fuites, courants d'air et trous. Les tuyaux gelaient. Et nous aussi. Nos chats nous apportaient régulièrement de petits cadeaux ensanglantés : des restes de souris qui entraient à leur guise dans la maison endormie.

C'était le Noël de 1981. Nous venions de passer des moments difficiles. Après une opération pour un cancer, j'avais acquis un sens aigu de l'importance de chaque jour et j'appréciais encore plus l'amour et la famille. Ce Noël était exceptionnel car nos six enfants étaient là. Nous ne le savions pas encore, mais mon mari, David, et moi allions déménager en Floride l'été suivant et ce Noël fut la dernière fois où nous avons tous été réunis.

Je préparais le repas à une extrémité de la grande pièce qui servait à la fois de salon, de salle à manger et de cuisine. Il y avait beaucoup de bruit – la musique de Noël de la radio, les bruits de la cuisine et neuf jeunes adultes qui s'amusaient (quelques enfants avaient invité des amis). Dans la plus pure tradition féline, les chats s'étaient absentés et retirés à l'étage, loin du brouhaha.

Tout à coup, du coin de l'œil, j'ai perçu un bref mouvement et quand je me suis retournée, j'ai vu quelque chose d'étonnant. Au milieu de cette cohue, bien installée dans le bol des chats, il y avait une minuscule souris qui mangeait leur nourriture sèche. N'en croyant pas mes yeux, je n'ai rien dit. En réalité, je voulais m'assurer que je ne rêvais pas; aussi, je voulais garder cette image pour moi seule pendant quelques minutes. Quel charmant spectacle!

Assise solidement sur son derrière, ses petites pattes avant tenaient un morceau de nourriture pour chats. Les morceaux étaient ronds avec un trou au milieu. Notre souriceau tenait fermement son morceau, une main de chaque côté, ressemblant à s'y méprendre à un petit bonhomme rondelet en train de manger un beignet. Quand il en avait avalé un, il en prenait un autre, le retournait dans ses petits doigts pour le placer parfaitement, puis il recommençait à grignoter.

Je me suis accroupie pour le regarder. Ses yeux noirs et brillants ont fixé les miens. Nous nous sommes regardés, puis il a porté son regard ailleurs et, nonchalamment, il s'est remis à grignoter. Il me fallait maintenant des témoins.

«Hé!» ai-je lancé doucement à la multitude assemblée. «Venez voir!»

Quand j'ai fini par attirer leur attention, j'ai bien cru que le spectacle se terminerait. Le petit animal s'enfuirait sans doute pour se cacher de la meute qui s'avançait vers lui. Mais non. Il est resté bien assis pendant que onze personnes se penchaient en cercle autour de lui, en le dévisageant, bruyamment, bien sûr. Il a jeté un coup d'œil confiant à la foule, fait faire un quart de tour à son beignet et continué à grignoter.

Nous étions étonnés. Il n'avait aucunement peur de nous. Pourquoi ce petit était-il si brave? Quelques-uns sont allés chercher leur appareil photo et même dans le crépitement des flashs, le souriceau a continué sereinement son festin de Noël. De temps à autre, il s'arrêtait pour nous regarder d'un air confiant. La nourriture baissait toujours dans le bol.

Enchantés, nous l'avons regardé faire quelque temps pendant qu'il se gavait de friandises. Son estomac semblait sans fond. Par ailleurs, bien qu'heureuse de l'accueillir, j'avais aussi conscience que l'heure du repas arrivait pour nos deux Prédateurs en résidence. Si les chats arrivaient, ce qui ne saurait tarder, notre souriceau de Noël risquait d'être sérieusement blessé ou même tué dans la ruée qui ne manquerait pas de se produire, même si nous réussissions à empêcher les chats de transformer notre dîneur en dîner (ce qui leur aurait semblé une conclusion logique).

Je me suis approchée. «Écoute bien. Nous avons été honorés de ta présence. Maintenant tu dois te retirer et aller retrouver les autres souris à l'extérieur. Tu es de compagnie agréable, mais ta vie est en danger. Si tu me permets, je t'escorterai dehors.»

Sur ces paroles, j'ai tendu la main vers le bol et je l'ai pris. Il n'a pas essayé de me mordre, ni paniqué. Il est plutôt resté assis dans ma main, calme, à l'aise, attendant la suite des événements, les pattes avant posées sur mon pouce. Je n'avais pas prévu cela. J'ai cru qu'il aurait peur, qu'il protesterait et se débattrait. Il m'a plutôt regardée, véritable paradigme du souriceau intelligent et amical des contes de fées. On l'aurait dit sorti directement d'un film de Disney.

«Qui es-tu vraiment?» me suis-je dit tout bas. «Es-tu vraiment une souris?» Mon côté rationnel a ri de la question; pourtant, il y avait un côté nettement mystérieux chez ce visiteur de Noël.

Je l'ai apportée dehors, suivie par la famille. Il faisait noir, une de ces nuits bleues et blanches de l'hiver du nord, où il y a de la neige au sol et où l'air est sec et froid.

Accroupie près d'une talle de buissons derrière la maison, j'ai libéré le souriceau. Il est resté assis dans ma paume, a regardé autour, prenant tout son temps. Puis, il a sauté sur mon épaule et pendant un long moment, nous sommes restés assis, moi dans la neige, lui sur mon épaule, femme et souriceau regardant ensemble dans la nuit. Enfin, d'un bond prodigieux pour une créature si petite, il s'est envolé, a atterri dans l'ombre des buissons et est parti. Nous sommes restés dehors pendant un moment, lui souhaitant bonne chance et nous sentant un peu seuls.

Sa visite a semé chez nous un étonnement qui n'a jamais diminué. D'autant plus que, résidant à la campagne, nous savons que les souris sauvages sont terrorisées à la vue des humains. De plus, ce genre de souris est particulièrement timide; contrairement aux souris de maison, elles évitent les maisons habitées. Pourtant, elles sont attachantes et captivantes (dans la nature, on dit qu'on peut les entendre chanter), mais pas avec notre espèce.

Ces moments rares et brillants, où des créatures sauvages traversent cette ligne invisible qui nous sépare, ne cessent de nous étonner. En nous montent les souvenirs de quelque chose d'ancien et de magnifique. Au moment où nous l'entourions tous, sa présence sauvage nous a silencieusement transmis la joie, la paix, la confiance et l'émerveillement. Ce fut un délicieux mystère et un minuscule miracle.

Diane M. Smith

Simon

Il n'y a pas de chat ordinaire.

Colette

Seulement cinquante-trois bêtes au monde ont reçu la médaille Dickin, un prix remis aux animaux reliés aux forces armées britanniques ou à la protection civile qui ont fait preuve «de bravoure ou de dévouement». Les médailles portent le nom de Maria Dickin, fondatrice du People's Dispensary for Sick Animals (dispensaire populaire pour animaux malades) (PDSA) et ont été remises aux animaux pour leur héroïsme pendant la Seconde Guerre mondiale ou au cours de conflits qui ont immédiatement suivi. Dix-huit chiens, trois chevaux, trente et un pigeons et un chat en ont été les récipiendaires. Ce chat s'appelait Simon, du navire de Sa Majesté *Amethyst*.

Au petit matin du 20 avril 1949, le navire britannique *Amethyst* avait jeté l'ancre dans le fleuve Yang-tsê, en Chine. Son équipage comprenait un petit chat noir et blanc du nom de Simon.

Tous les navires ont besoin de chats. Les souris et les rats adorent vivre sur les bateaux. Ils s'y introduisent par les câbles d'amarrage, sautent à bord en provenance des quais, entrent avec les marchandises. Les souris et les rats endommagent les navires, ils s'attaquent aux entrepôts de vivres et aux tissus dont ils font des nids pour leurs petits. Ils transportent aussi des virus qui peuvent être transmis à l'équipage et aux passagers par des moustiques ou des puces qui mordent les rongeurs infectés pour ensuite mordre un humain. Simon valait à lui seul 100 pièges à rats.

Ce matin d'avril, le capitaine attendait que le jour se lève avant de continuer son voyage sur le fleuve dangereux. Les nationalistes chinois contrôlaient le fleuve et avaient interdit la navigation de nuit. La guerre civile pouvait éclater à tout moment et le capitaine du H.M.S. *Amethyst* avait reçu l'ordre de remonter le fleuve vers Nankin pour protéger l'ambassade britannique qui s'y trouvait.

Peu après l'aube, avant que l'*Amethyst* puisse s'échapper, le fleuve Yang-tsê est devenu zone de guerre. Les explosions fendaient l'air. Les obus sifflaient au-dessus de nos têtes, puis une roquette frappa le navire, bientôt suivie d'une autre. Quand le bombardement a cessé peu après, il y avait plusieurs marins britanniques morts sur le pont de l'*Amethyst*. Plusieurs membres d'équipage étaient blessés, dont Simon. L'*Amethyst*, avarié, était pris au piège et il semblait qu'il y resterait longtemps pour des raisons politiques. Le capitaine a fait l'inventaire des magasins, qui contenaient assez de nourriture, d'eau et de combustible pour environ deux mois. Il pensa alors:

D'ici là, nous aurons certainement trouvé le moyen de nous échapper.

La vie sur le Yang-tsê est devenue une lente suite de jours ennuyeux, chauds et humides, de sueurs et de réparations du navire. Simon s'était suffisamment rétabli de ses blessures pour poursuivre ses fonctions de chef ratier.

Un jour, le médecin du bord a vu Simon boiter devant l'infirmerie, en route vers la cale et la chasse aux rats.

«Pourquoi n'entres-tu pas visiter les gars?» lui a demandé le médecin en lui ouvrant la porte. Simon est entré là où, rang après rang, étaient étendus de jeunes hommes blessés. Le médecin dit alors à son infirmier:

«Je vais tenter une expérience.» Il a pris Simon et l'a apporté sur un lit où gisait le marin Mark Allen, les yeux fermés. Le garçon n'avait que seize ans et il avait été amputé des deux jambes sous les genoux durant le bombardement. Depuis quatre jours, il avait repris connaissance mais il refusait de parler, de manger et même d'ouvrir les yeux.

Le médecin a déposé Simon sur le lit du garçon. Simon s'est assis et l'a regardé, mais les yeux du garçon sont restés fermés. Le médecin a monté le chat sur la poitrine du jeune homme dont il a placé la main molle sur le dos du chat.

«Tu as un visiteur, Mark», a dit le médecin.

Mark a entrouvert les yeux. Quand il a vu Simon le fixer, il les a ouverts un peu plus. Les coins de sa bouche se sont relevés.

«Chez moi, j'ai un chat, dit-il. Mais je ne le reverrai jamais.» Il a repoussé Simon et a enfoui sa tête dans l'oreiller.

Le lendemain, le médecin a ramené Simon voir Mark et il l'a laissé sur le lit. Simon a rampé sur la poitrine de Mark et a commencé à la pétrir comme il avait l'habitude de le faire avant de s'installer. Mark a ouvert les yeux. De sa main maigre, il a flatté le pelage rude de Simon. Le garçon s'est mis à sangloter.

Le médecin s'est rapidement approché. «Le chef a de la bonne soupe aux légumes à la cuisine. Aimerais-tu que je t'en apporte un bol? Simon restera ici avec toi.»

Mark a fait un faible signe de tête. Il a flatté Simon qui s'était étendu à ses côtés et ronronnait.

À compter de ce jour, Mark a recommencé à manger et à reprendre des forces. Simon lui rendait visite chaque jour. Après un mois, Mark pouvait se déplacer sur le navire en fauteuil roulant.

Les jours passaient et se transformaient en semaines. Chaque jour, le mercure atteignait 43 degrés dans l'entrepont. La chaleur et le rationnement des vivres rendaient la vie à bord presque intolérable.

L'équipage avait l'air émacié, son énergie diminuait à cause de la chaleur torride. Un seul marin poursuivait son travail quotidien dans de bonnes dispositions et avec beaucoup de bonne volonté: le matelot de deuxième classe, Simon. Il patrouillait le navire, visitait les malades, tuait les souris et les rats et rendait la vie supportable pour ses camarades de bord. Il ne se plaignait jamais, ni de la chaleur ni de sa santé.

Le 19 juillet, le mercure a atteint 43 degrés sur le pont et 48 degrés dans la salle des machines. Même Simon arpentait le pont d'un pas très lent. Ils ne pourraient résister encore longtemps. Les magasins étaient presque vides et l'eau qui restait était rationnée, ce qui était une terrible épreuve par cette chaleur torride. Le navire était maintenant réparé, mais ils étaient toujours tenus en otage par les Chinois belliqueux et ne pouvaient prendre le large sans risquer de sérieux dommages au navire et à son équipage.

Au début du mois d'août, ils ne pouvaient plus rester là. Ils ont donc décidé de s'enfuir à la faveur de la nuit. C'était jouer gros, mais ils n'avaient pas d'autre choix.

Un mélange de conditions climatiques, de ruses habiles et de bonne vieille chance ont permis au navire de s'échapper. Le 3 août, l'*Amethyst*, enfin libre, suivait la côte chinoise en direction de Hong Kong. Des centaines de citoyens britanniques lui ont fait un triomphe à son arrivée dans le port.

Peu après, un des officiers du navire a écrit à la PDSA en Angleterre pour soumettre la candidature de Simon à la médaille Dickin. Ils étaient toujours à quai à Hong Kong quand la réponse est arrivée. Le comité des candidatures avait unanimement conféré la médaille Dickin à Simon. La cérémonie officielle de remise aurait lieu au retour de l'*Amethyst* en Angleterre. Entre-temps, ils avaient envoyé un collier tricolore que Simon pourrait porter et émis un communiqué à la presse du monde entier:

«Sachez que du 22 avril au 4 août, Simon, du H.M.S. *Amethyst*, a débarrassé le navire de la peste et de la vermine avec une loyauté à toute épreuve. Pendant cette période, la conduite de Simon a été irréprochable et sa présence a été un facteur déterminant dans le maintien du moral de l'équipage.»

Simon est devenu un héros du jour au lendemain. La photo du petit chat noir et blanc a paru dans des centaines de journaux et de magazines. Pendant des semaines, Simon a reçu plus de deux cents lettres par jour. Simon n'a pas été impressionné par cette attention subite. Il posait à contrecœur pour les photos et continuait à chasser les rats.

Durant le voyage de retour vers l'Angleterre, Simon a attrapé un virus. Affaibli par les blessures subies pendant le bombardement, le chat est mort. La cérémonie pour honorer Simon à son retour en Angleterre s'est transformée en funérailles.

À l'entrée du cimetière pour animaux de la PDSA, il y a une arche en fer au-dessus de laquelle on peut lire: «Ils ont aussi servi». Le jour de l'enterrement de Simon, il y avait un petit cercueil recouvert de l'Union Jack et des fleurs tout autour dans le petit cimetière.

Au moment où la cérémonie allait commencer, un beau jeune homme, portant un uniforme de la marine et l'inscription H.M.S. AMETHYST sur son calot, est entré lentement et s'est joint au groupe autour du cercueil. Il marchait avec des béquilles mais il se tenait bien droit et ses chaussures brillaient au soleil. C'était Mark Allen, le marin qui plus que tout autre devait sa vie à Simon.

Lorsqu'on a mis le petit héros de l'*Amethyst* en terre, il semblait approprié d'entendre la jeune voix forte de Mark réciter dans l'air du matin:

«Le Seigneur est mon berger,
rien ne peut m'arriver...»

Rosamond M. Young

Lorsque nous respectons la vie, nous entrons en relation spirituelle avec l'univers.

Albert Schweitzer

6

ANIMAUX DE COMPAGNIE

Les animaux sont des amis tellement agréables —
ils ne posent pas de questions,
ils ne critiquent pas.

George Eliot

L'affreux toutou

Les choses sont belles si vous les aimez.

Jean Anouilh

Au printemps 1980, j'habitais Woodstock, New York. Mon terrier tibétain, Shadow, a eu une portée de six chiots.

Le seul chiot que je n'ai pu vendre n'était pas spécialement beau. Les terriers tibétains sont reconnus pour leur double pelage lustré. Le premier pelage de la robe est épais et cotonneux, et celui du dessus ressemble à des cheveux humains, soyeux et fins. Cette combinaison donne un effet très pelucheux. Les gens aiment aussi leur face bien proportionnée.

Ce chiot femelle n'avait aucun de ces traits. Elle avait un nez plutôt long et un pelage des moins attrayant. Elle n'avait aucun pelage de dessous, ce qui rendait celui du dessus mince, plat et raide. Elle avait l'air d'une traînée qui rentrait après la pluie. Les personnes qui la regardaient disaient: «Elle semble une bonne chienne, mais elle est laide et décharnée.» Personne ne voulait de notre petite amie, même gratuitement!

J'étais étonnée que personne ne reconnaisse les qualités peu communes de cette chienne. Elle était d'un naturel très heureux, et bien que la plupart des petits chiens le soient, il y avait en elle une joie intérieure inexplicable, un sixième sens, une certaine présence spirituelle, comme si elle pouvait lire nos pensées et nous transporter dans un endroit plus agréable.

En juin, j'avais toujours ce chiot avec son perpétuel «poil de crin». L'école reprenait dans moins d'une semaine et j'hésitais à partir sans lui trouver un bon foyer.

Un soir, j'ai eu une idée. Il y avait un monastère tibétain à moins d'un kilomètre de chez moi et j'y étais allée quelques fois pour méditer avec eux. Je m'étais même présentée à quelques moines qui vivaient là. Quelqu'un là-bas voudrait peut-être l'adopter. Cela valait la peine d'essayer.

Le lendemain matin, j'ai emmené ma petite amie au monastère. Il y avait beaucoup de voitures dans le stationnement. Je me suis dit: *Curieux, cet endroit est toujours si tranquille. Je me demande ce qui se passe!*

Je suis sortie de l'auto avec le chiot dans mes bras et j'ai monté l'escalier jusqu'à la porte d'entrée habituelle. J'ai pénétré dans le hall et là, des gens étaient alignés tout le long du mur, semblant attendre qu'il se passe quelque chose de l'autre côté des portes intérieures sculptées à la main. J'ai reconnu un visage familier, un des moines que j'avais rencontrés lors d'une visite. Quand il m'a vue avec le chien, il m'a fait un large sourire et a dit: «Oh, suivez-moi!»

Il m'a tirée par la manche et m'a conduite à la tête de la file. Utilisant ce qui m'a semblé un code secret, il a frappé à la porte. Les portes doubles se sont ouvertes et nous avons été accueillis par un autre moine. Le premier lui a murmuré quelque chose à l'oreille, et ce dernier a dit à son tour, «Ah.» Sur ce, la petite chienne et moi avons été dirigées à l'avant d'une autre file de personnes, toutes portant des offrandes de fruits, de bonbons, de plantes, de bols étranges et d'objets d'artisanat.

Je me suis tournée pour faire face au devant de la pièce et là, il y avait un homme au regard vif et enjoué, totalement vêtu de velours rouge et or. Il a jeté un coup d'œil sur mon chiot et m'a ensuite regardée. Puis, il a tendu ses mains, les doigts ouverts, et il a dit, «Oui, oui. Oh! oui.»

Cet être magnifique a placé un cordon rouge autour du cou du chiot et a chanté un chant en langue étrangère. Il en a mis un deuxième autour de mon cou et a continué à chanter en prenant doucement le chien. Il l'a soigneusement serré dans sa robe de velours. Ensuite, il a incliné la tête en signe d'assentiment, tout en prononçant des mots dans une langue étrangère. Il m'a tapoté la tête et s'est retourné vers sa chaise, tenant toujours mon chiot dans ses bras.

Le moine qui m'avait amenée dans la pièce m'a vivement fait sortir. Dans le hall, où il y avait d'autres moines, j'ai été rapidement conduite à l'entrée, sans le chien, puis, à l'extérieur du monastère. On m'a demandé de rester en haut de l'escalier et d'attendre jusqu'à nouvel ordre.

C'est à ce moment qu'une inquiétude maternelle m'a envahie. Je me suis dit: *Où est mon chien et qu'est-ce qui va lui arriver?* Cherchant à comprendre, j'ai raconté les événements des quinze dernières minutes à un spectateur bouddhiste.

Il a souri et m'a expliqué que j'avais rencontré le «Karmapa», un moine très élevé dans la hiérarchie bouddhiste tibétaine; en fait, le deuxième après le Dalaï-lama. Il m'a dit que j'étais très chanceuse parce qu'aujourd'hui, le réputé et bien-aimé Karmapa était venu du Tibet pour bénir le monastère et ses terres.

Des gens sont venus du monde entier pour lui présenter leurs hommages, mais rarement quelqu'un a pu entrer dans sa salle de réception privée. Que j'aie pu y entrer et recevoir la bénédiction de Sa Sainteté, et en plus qu'il accepte mon offrande généreuse, était de bonne augure, une chance qui n'arrive pas souvent dans une vie! Il a secoué la tête en disant: «Vous avez dû accumuler beaucoup de grâces dans vos vies passées, car vous êtes très chanceuse, ma chère.» Fermant les yeux, il a réfléchi un moment avant d'ajouter: «Mais peut-être est-ce la destinée de votre chien!»

À cet instant, la porte s'est ouverte à nouveau, et le merveilleux moine bouddhiste est sorti de l'édifice pour descendre les marches extérieures recouvertes de tapis rouge, la tête bien haute en saluant les gens. Les femmes et les enfants se sont massés autour, tenant des paniers de fleurs pour les jeter à ses pieds.

J'étais tellement envoûtée par la magie que je ne l'ai pas remarquée au début. Mais à ma surprise, j'ai vu ma petite chienne, celle qu'on trouvait laide, qui avait maintenant l'air d'une grande vedette! Le Karmapa la tenait bien haut avec, semblait-il, une grande fierté, et la foule criait de joie. J'aurais juré que la chienne souriait elle aussi.

À partir de cet instant, tout semble s'être déroulé au ralenti. Ils ont continué de descendre l'escalier. Lentement, ils sont entrés dans une limousine noire. Malgré la foule dense, j'ai pu jeter un dernier regard sur la chienne et sur le moine à travers les vitres teintées. La façon dont ils étaient assis ensemble m'a fait comprendre qu'elle serait bien. Ce n'était pas seulement parce qu'elle était avec le Karmapa; c'était la façon dont elle était assise sur ses genoux. Ils semblaient avoir acquis un grand respect et une grande confiance l'un pour l'autre dans un court laps de temps. La limousine les a amenés, laissant derrière une trace colorée de pétales de roses.

Après cela, les moines du monastère m'ont gentiment tenue au courant de leurs aventures et de leurs voyages.

Au fil des années, j'ai appris que le Karmapa avait fait le tour du monde avec son terrier tibétain. Le Karmapa en est venu à adorer sa compagne et ils se sont rarement séparés tout le temps qu'elle a vécu.

La vue de sa drôle de face lui procurait toujours, ainsi qu'aux autres, un sentiment de joie. C'est pourquoi il lui a donné un nom qui, traduit du tibétain, signifie Bel Être Heureux. Elle était pour lui une amie et une compagne dévouée.

Elle était considérée jadis comme un horrible chiot, et rares furent ceux qui apprécièrent ses dons. Pourtant, dès sa naissance, elle rayonnait de bonheur. C'était comme si elle savait qu'elle rencontrerait finalement son merveilleux ami, le Karmapa, qui reconnaîtrait sa vraie beauté et aimerait sa grande âme.

Angel Di Benedetto

Le chien endommagé

Un cri déchirant m'a tiré de mon sommeil tôt un vendredi matin. Courant à la fenêtre, j'ai vu ce à quoi je m'attendais, un chien victime d'un autre chauffard qui a pris la fuite. La créature décharnée, qui ressemblait à un loup, gisait blottie près d'une porte. Je savais qu'il n'appartenait à personne. De toute évidence, il était l'un des nombreux chiens, sans race et en quête de nourriture, qui arpentaient les rues de Kiev, où j'étais momentanément cantonné comme journaliste.

Il n'est peut-être pas blessé trop sérieusement, espérais-je en vain. Quand il a essayé de marcher, il retombait toujours sur son épaule blessée, laissant sur le pavé des traces de sang. *Il est peut-être dangereux,* me suis-je dit. Faux. Il poussait les passants avec sa tête et il était évident que c'était pour demander de l'aide.

En un rien de temps, j'étais parmi un petit groupe de personnes qui entouraient l'animal blessé, nous questionnant sur ce qu'il fallait faire. «Je l'emmène», ai-je dit, étonné de mes propres paroles. «Temporairement.»

Quelqu'un a apporté un drap et j'ai souri en voyant le chien essayer aussitôt de s'y envelopper. Ma voisine, Yelena, a offert ses services et nous avons pris sa voiture pour faire la tournée, d'une clinique rudimentaire à une autre. Le traitement prescrit était une mort miséricordieuse. L'os d'une des jambes du chien était fracassé et personne n'avait la capacité, la connaissance ou les médicaments nécessaires pour le traiter. En 1992, l'Ukraine était un pays ruiné.

Le chien avait un regard plaintif en me regardant, les yeux vitreux sous l'effet de la morphine. J'étais décidé, avec en prime une liasse de billets américains dans la poche, de sauver cette créature. «On peut certainement faire quelque chose», disais-je.

«Si quelqu'un peut l'aider, c'est Oleg Feodoseyevych, un professeur à l'école d'agriculture. C'est le meilleur chirurgien vétérinaire du pays», à ce qu'on m'a dit.

Aussitôt, Yelena et moi avons transporté notre patient canin à travers un enclos de cochons et de vaches, jusqu'à une vaste salle d'enseignement de chirurgie pleine d'étudiants rieurs, coiffés de drôles de chapeaux en papier. Le fameux Oleg Feodoseyevych a tâté très doucement le corps du chien, a souri et prononcé les paroles magiques: «On le sauvera.»

L'opération a duré quatre heures. J'ai observé le professeur qui insérait patiemment une tige de métal dans une des jambes du chien. Le chien, éveillé tout ce temps, gémissait à chaque fois que l'anesthésie locale diminuait son effet. «Il lui faut plus d'anesthésie», disait quelqu'un. Généralement, c'était moi.

À peine quelques minutes après l'opération, nous étions de retour dans l'auto. Le chien avait deux plâtres blancs et j'avais une feuille d'indications sur les soins post-opératoires et les médicaments à acheter. Où pouvais-je me procurer de la gaze ou des analgésiques dans une ville où les pharmacies disposaient d'aussi peu que des vitamines et des tisanes?

«Ne vous inquiétez pas, dit Yelena. Les pharmacies sont vides mais les cabinets de médecins sont bien garnis.» Effectivement, Yelena est revenue le soir même transportant un sac plein d'ampoules, de tubes, de seringues et de comprimés.

Pendant trois jours et trois nuits, mon patient gémissait, couché immobile sur une couverture. Il n'a pas remué autre chose que sa queue, qui frappait lourdement le sol chaque fois que j'entrais dans la pièce. Je l'ai nourri au compte-gouttes de bouillon de poulet. Six fois par jour, j'ai changé les bandages par une petite ouverture dans le plâtre, lui occasionnant des douleurs évidentes quand la gaze déchirait sa peau rasée et ensanglantée.

Espérant bêtement qu'il avait peut-être un maître, j'ai placé une annonce dans le journal local. J'ai reçu de nombreux appels, mais aucun du propriétaire d'un chien disparu depuis longtemps. Plusieurs ont offert de l'adopter et j'ai commencé à dresser une liste de propriétaires possibles pour le jour où le chien serait rétabli.

En peu de temps, le chien a pu avaler de la nourriture solide, et j'ai téléphoné à ma femme de ménage, Nadia, ne sachant pas ce que j'allais lui donner. Les aliments pour chiens préparés commercialement à la façon de l'Ouest n'étaient pas encore disponibles en Ukraine.

La grassouillette Nadia, une extraordinaire amie des chiens, s'est mise au fourneau en peu de temps, préparant un mélange de pommes de terre en purée, de carottes et de bœuf haché. Elle m'a donné un cours accéléré, à moi qui n'avais jamais eu de chien, sur la façon d'en prendre soin.

Finalement, mon patient a commencé à marcher et je me suis aventuré à l'extérieur avec lui après l'avoir transporté au bas des vingt dernières marches de mon édifice. Se balançant sur ses deux jambes plâtrées, bougeant la queue, il a été accueilli avec une vague de sympathie. Les femmes âgées sur leurs balcons hochaient la tête, en émettant des *tss-tss,* les enfants sautaient autour de nous, demandant s'ils pouvaient lui flatter la tête sans lui faire mal, et chaque propriétaire de chien en vue s'est arrêté pour donner son remède maison préféré pour guérir les os cassés.

«Des coquilles d'œufs», disait une femme, qui a couru plusieurs mètres pour me dire cela.

Finalement, le jour est venu où Oleg Feodoseyevych s'est présenté pour enlever les plâtres. Nous avons mis le chien dans la baignoire et je l'ai tenu pendant que le médecin les coupait.

«Vous savez qu'un chien doit avoir un nom», dit-il.

«Oh! non», ai-je répondu en balançant dans ma main la liste des propriétaires possibles du chien. «Je n'ai pas l'intention de le garder. Vous le voyez, mon rythme de vie, les voyages que je dois faire...»

Le bon médecin a regardé au ciel en souriant.

Olivier, c'est le nom que je lui ai donné, n'est jamais parti. Il s'est pleinement rétabli et m'a enveloppé de son amour, me repayant au centuple pour ma décision spontanée de ce vendredi matin traumatisant.

De nombreuses fois, il m'a éloigné de ma solitude, de ma colère, de ma paresse et de ma gourmandise. Il m'a donné des levers de soleil extraordinaires sur la rivière Dniepr, m'a présenté à un nombre incalculable de gens dans le parc et m'a enchanté pendant des heures alors que je regardais ses bouffonneries avec ses amis à quatre pattes. Il m'a couvert de baisers mouillés et m'a réchauffé par ses accueils extraordinaires.

Est-ce que je l'ai sauvé, me suis-je demandé, *ou est-ce lui qui m'a sauvé?*

Deux ans plus tard, Olivier est parti aussi soudainement qu'il est venu. Un jour, alors qu'il jouait avec son compagnon favori dans le parc, il est tombé, en convulsions, et il est mort. Une autopsie a démontré une rupture du foie qui avait doublé de volume. «Il n'a pas eu de chance», a dit le médecin, une femme qui était aussi spécialiste à l'école d'agriculture. «Olivier avait beaucoup d'autres problèmes internes, a-t-elle ajouté, suite à des années de vie misérable dans les rues de Kiev.»

En voyant ma détresse, elle a tenté de me réconforter à la façon bourrue, typique des slaves.

«Vous savez, vous ne devriez pas simplement ramasser n'importe quel vieux chien errant dans la rue. Ils sont trop endommagés pour vivre longtemps. Ça n'en vaut pas la perte émotionnelle.»

Mais qu'en est-il des bénéfices émotionnels?, me suis-je demandé en l'écoutant.

En sortant de la clinique, je me suis juré de ne jamais tenir compte de son conseil.

Roma Ihnatowycz

Les Babillards anonymes

Pendant mes études universitaires, j'ai commencé à cultiver en moi l'image que j'avais d'une auteure en herbe. Je m'imaginais une spécialiste du bon parler et je haussais les épaules devant le mauvais usage qu'en faisaient les autres. Mais par-dessus tout, je ne tolérais pas les gens qui babillaient en parlant aux bébés ou, pire encore, aux animaux.

Bien que ni les bébés ni les animaux ne fissent partie de ma vie, j'étais tout à fait certaine qu'un jour je serais un exemple dans le monde entier pour les mères et les amis des bêtes.

Un jour, mon amie Marcia a téléphoné chez moi pour me demander d'adopter un chat abandonné. «Il a froid et il a peur, a-t-elle dit. Il vit sur le toit du garage de mes voisins. Quelqu'un l'a jeté en bas d'une voiture.»

Les chats sont des animaux sensibles, ai-je pensé. J'ai toujours admiré leur comportement majestueux et leur indépendance. De plus, Charles Dickens, H.G. Wells et Mark Twain avaient tous des chats. J'imaginais un chat lové à mes pieds alors que j'écrivais, contribuant peut-être à porter ma créativité vers de nouveaux sommets. J'ai demandé à Marcia d'apporter l'animal.

En voyant Marcia s'approcher de l'appartement, j'ai entendu le chat, plutôt que vu. Il protestait très fort jusqu'à ce qu'elle dépose la cage sur le tapis du salon.

Dès qu'elle a ouvert la porte, un maigre chat noir est sorti comme l'éclair, s'est élancé dans la chambre à coucher, a couru dans la salle de bain et a sauté dans la baignoire, a bondi à l'extérieur et est revenu à la charge dans le salon, et sur mes genoux.

«Je me sauve», dit Marcia, en attrapant la cage pour sortir en douceur. «Fais-moi signe si tu as besoin de quelque chose.»

À ce moment-là, les pattes du chat pétrissaient frénétiquement mon estomac, tout comme un boxeur qui frapperait un punching-ball. «Tu n'as pas honte?» lui dis-je en grimaçant. Bien que le chat fût décharné, sa fourrure de jais luisait sous la lumière de la lampe. Ses yeux jaune moutarde ont cligné vers moi un instant avant qu'il reprenne ses activités.

«Je crois qu'il faut que je te donne un nom.» J'ai refoulé mes paroles. *Incroyable*, ai-je pensé. *Je parle à cet animal comme s'il comprenait.*

«Ralf, ai-je poursuivi malgré moi. Ralf est un joli nom qui ne veut rien dire.» Je ne veux pas de noms fantaisistes comme Boo-Boo ou Fluffy.

Cette nuit-là, j'ai établi les règles de vie du chat. Ralf ne pourrait pas grimper sur le lit. Il dormirait sur le tapis du salon. Il apprendrait à répondre à des simples commandements d'un mot. Quant à moi, je lui parlerais comme à l'animal intelligent qu'il était.

Après deux nuits passées à remettre le chat sur le plancher, pour me réveiller et le retrouver près de moi dans le lit, j'ai aboli cette règle. Je me suis dit que c'était pour moi plutôt que pour lui que j'agissais ainsi, car son ronronnement me détendait, et la chaleur de sa fourrure sur mon dos était merveilleuse.

Les semaines ont passé et nous semblions nous entendre à merveille. Je me suis assurée de ne pas parler à Ralf autrement que comme un maître à son animal. Un bon matin, j'ai accidentellement marché sur sa queue. Quel cri plaintif! Je l'ai pris dans mes bras et je l'ai tenu contre moi.

«Oh! maman s'excuse.»

J'ai regardé autour de moi. Qui a dit ça? Oh! non. Voilà que je commençais à parler comme *eux*.

Les jours qui ont suivi, j'ai tenté désespérément de mâter mes sentiments maternels. J'ai décidé en premier lieu de supprimer le mot *maman*, mais rien ne semblait convenir. Le mot *maîtresse* était un peu trop imposant. Kathy? Non, trop familier. Je perdrais mon autorité. «Maman» est le nom qui décrivait le mieux mon rôle. À contrecœur, je suis devenue la maman de Ralf... mais je me suis juré de ne faire aucune autre concession.

Un soir, Ralf a vomi sur le tapis. Après avoir nettoyé, je l'ai serré et je l'ai flatté.

«Pauvre bébé, ai-je roucoulé. Bébé malade.»

Bébé malade! Je voyais en pensée mon professeur se pendre de désespoir. Pendant que Ralf faisait la sieste, j'ai analysé la détérioration de mon état. Je ne pouvais plus nier les faits. Je devenais rapidement une propriétaire d'animal babillarde.

Pendant les quelques semaines qui ont suivi, j'ai pris la résolution de contrôler chaque mot que je disais, mais l'impensable s'est produit. Des aberrations telles «T'es un tou tou ti ga'çon» sortaient librement de ma bouche, comme si l'esprit malin des atrocités grammaticales me possédait chaque fois que je regardais Ralf. Pire encore, il semblait s'attendre à un tel langage.

Un soir, j'ai décidé de cesser net. J'ai assis Ralf sur mes genoux pour qu'il me regarde en face. «Écoute», ai-je dit, évitant sciemment le babillage, «tu es un animal sensible et intelligent. Tu veux une propriétaire qui te traite comme tel, non?»

Ralf n'a pas bronché. Croyant qu'il comprenait, j'y ai vu là un encouragement à continuer. «Conséquemment, je vais te traiter avec la dignité et le respect que mérite un chat noble de ton espèce.»

Ralf a ouvert la bouche. Il fixait avec tant d'intensité que, pour un court instant de folie, j'ai cru qu'il parlerait. Il m'a baîllé à la figure.

«Espèce de bébé lala fou», ai-je dit en riant et en le serrant contre moi.

Les règles sont abolies. De toute façon, je n'ai jamais eu l'autorité nécessaire. Seuls l'amour et le babillage sont restés. Quelqu'un connaît-il l'adresse des Babillards anonymes?

Kathleen M. Muldoon

Le chat français

Récemment, mon mari, Gene, et moi avons fait le tour de l'Europe. Nous avons loué une voiture, comme nous le faisons toujours, et nous avons roulé dans l'arrière-pays, logeant dans des auberges pittoresques et retirées.

La seule chose qui m'empêchait de jouir pleinement du voyage, c'était cet ennui terrible de notre chat, Perry. Il me manque toujours lors de nos voyages, mais cette fois, parce que nous étions partis pour plus de trois semaines, le besoin de caresser sa douce fourrure et de le serrer dans mes bras est devenu de plus en plus grand. Le besoin augmentait à chaque chat que nous croisions.

Un matin, alors que nous étions dans les montagnes de France, nous avons garé l'auto avant de poursuivre le voyage et un couple de gens âgés est monté dans la voiture stationnée près de la nôtre. La femme tenait un gros chat siamois et lui parlait en français.

Je les observais, incapable de m'en empêcher. Mon ennui de Perry devait paraître sur mon visage. La femme m'a regardée, s'est retournée pour parler à son mari, puis elle a parlé à son chat. Soudainement, elle a marché directement vers moi et, sans un mot, m'a tendu son chat.

J'ai immédiatement ouvert les bras. Prudent face à cette étrangère qui le prenait, il a sorti les griffes, mais seulement pour quelques secondes. Il les a rentrées, s'est blotti dans mes bras et a commencé à ronronner. J'ai enfoui mon visage dans sa douce fourrure en le berçant gentiment. Alors, toujours sans parler, je l'ai remis à la dame.

Je leur ai souri en guise de remerciement et j'avais des larmes plein les yeux. La femme avait ressenti mon besoin de tenir son chat, le chat avait compris qu'il pouvait me faire confiance. Tous les deux, en m'offrant l'un des plus grands cadeaux de bonté jamais reçus, ont agi suivant leurs instincts.

Il est réconfortant de savoir que le langage des amis des chats – et des chats – est le même partout dans le monde.

Jean Brody

Barney

Mary Guy a pensé que devenir une vedette internationale était probablement la plus grande chose qu'un écureuil pouvait espérer dans une vie. Mais Barney n'est pas un écureuil ordinaire.

Mary possède une usine d'eau embouteillée à Garden City, Kansas. Elle est aussi connue pour son amour des bêtes.

Un jour d'août 1994, un de ses clients lui a montré un petit orphelin, un bébé écureuil roux qu'il avait trouvé. Quand il lui a demandé si elle pouvait en prendre soin, elle s'est dit qu'elle pourrait au moins essayer.

Il se trouve que, il y a une semaine, la chatte de Mary, Corky, a eu quatre chatons. Charlie, le mari de Mary, a suggéré d'ajouter l'écureuil à la portée de chatons, et le tour a été joué! Barney (baptisé ainsi par un des petits-fils, d'après un certain dinosaure pourpre bien connu) n'a pas seulement été adopté par Corky, il a été accepté comme un des leurs par les quatre chatons. Il est devenu particulièrement ami avec une des petites sœurs félines, Céleste.

Il y avait des invités de la famille Guy qui trouvaient que cette famille chat/écureuil était si adorable qu'ils ont communiqué avec le journal local pour en parler. Le journal a écrit un article et une photo de la mère qui nourrissait ses quatre chatons et Barney, avec la légende:

«Un de ces chatons a des airs d'écureuil.»

Cette histoire inhabituelle a été reprise par l'*Associated Press* et envoyée à tous les journaux du pays. Comme résultat, Mary a reçu des téléphones et des lettres de partout au pays, même du Canada, de la part de personnes qui étaient touchées par le reportage et la photo. Barney était devenu une célébrité!

Malheureusement, il y a eu un côté négatif à la renommée de Barney.

L'article a été lu par des employés du département de la Réserve naturelle et des parcs du Kansas. Un représentant officiel de l'État a communiqué avec la famille Guy et leur a dit qu'il était illégal de garder des écureuils comme animaux domestiques dans l'État du Kansas. Il faudrait qu'ils retournent Barney à la nature.

Mary était abasourdie. Non seulement s'était-elle attachée à cet animal particulier, elle craignait pour sa vie s'il était remis en liberté. Il ne craignait pas les chats, il avait été élevé par l'un d'eux! Mais les écureuils sont des rongeurs et les chats sont les ennemis naturels des rongeurs.

Si Barney était remis en liberté, il serait mangé par le premier chat errant qui passerait. Elle a expliqué cela aux autorités, mais sans succès. La loi, c'est la loi!

«Madame, a suggéré un officier, si vous achetez un permis de chasse, vous pourrez le garder légalement jusqu'à la fin de la chasse aux écureuils. Elle se termine le 31 décembre.»

C'était une solution temporaire, mais Mary s'est empressée de payer les treize dollars pour un permis de chasse.

Mary s'affligeait à mesure que la fin de l'année approchait. Elle en était venue à aimer vraiment l'espiègle petit, et elle était certaine que le retourner à la nature équivalait à une sentence de mort.

De plus, les chatons avaient tous été adoptés, sauf Céleste; Barney et elle étaient devenus les meilleurs amis. Ils jouaient ensemble, dormaient ensemble et se pourchassaient partout dans la maison. Si Mary les séparait, Céleste se lamenterait misérablement. Et Barney ne manifestait pas le moindre intérêt pour la nature.

Encore une fois, Mary a communiqué avec les journaux. Peut-être que la même renommée qui avait jeté Barney dans le marasme pourrait l'en sortir!

L'histoire du bourbier dans lequel se trouvait Barney a été transmise par l'*Associated Press*. Au début de décembre, Mary a été inondée d'appels et de lettres de partout au pays, offrant prières et support moral. Certains interlocuteurs qui vivaient dans des États avec des lois différentes ont même offert de prendre Barney et Céleste.

Le département de la Réserve naturelle et des parcs a aussi reçu des téléphones et du courrier de partout au pays. Ne voulant pas paraître cruels, ils ont suggéré que Barney soit transporté au parc zoologique de Garden City.

Le procureur général du Kansas a téléphoné à Mary et lui a suggéré de donner Barney à un «spécialiste en réhabilitation», qui pourrait lui enseigner à survivre dans la nature avant de lui donner sa liberté.

Mais Mary craignait encore pour la sécurité de son animal chéri. Elle savait qu'il ne voulait pas abandonner sa vie heureuse, pas plus qu'elle ne voulait le perdre.

À l'aube de la nouvelle année, les Guy ont eu une petite lueur d'espoir. En début d'année, il y avait changement d'administration au gouvernement. Mary a fait en sorte que des amis invités aux célébrations inaugurales du nouveau gouverneur apportent avec eux des informations sur Barney.

L'une des premières décisions du bureau du gouverneur du Kansas en 1995 a été d'accorder aux Guy un permis spécial pour garder leur écureuil.

C'est ainsi que Barney est devenu le premier écureuil de l'histoire à devenir non seulement une vedette nationale, mais aussi à recevoir un pardon du gouverneur.

Non, ce n'est pas un écureuil ordinaire.

Gregg Bassett
Président, The Squirrel Lover's Club

Les chats semblent obéir au principe qu'on n'a rien à perdre à demander ce qu'on veut.

Joseph Wood Kruth

Gardienne de souris

Je n'avais jamais recherché la compagnie des souris, jusqu'à un certain matin ensoleillé du début de septembre. Ce jour-là, mon mari, Richard, m'a demandé de venir à la grange de notre ferme du Rhode Island. Je l'ai trouvé tenant une boîte en fer-blanc. Il regardait à l'intérieur de la boîte d'un air follement amusé. Il me l'a tendue comme si elle contenait un objet acheté chez Tiffany's.

Tapie au fond, il y avait une jeune souris, pas beaucoup plus grosse qu'un bourdon. Elle regardait au loin et ses yeux étaient comme des points brillants. C'était une belle petite bête. De toute évidence, elle était trop petite pour faire face à un monde sauvage et dangereux.

Richard l'avait trouvée sur le perron de la porte. Quand il l'a ramassée, il pensait que c'en était fait de la petite souris. Heureusement, il avait une boule de gomme dans sa poche et il a placé le bonbon sur la paume de sa main, tout près de la faible souris. L'odeur l'a stimulée. Elle s'est jetée sur la boule de gomme, l'a mangée voracement et, presque aussitôt, elle est revenue à la santé.

Richard a construit une cage en broche pour Mousie, c'est son nom maintenant, et nous lui avons fait une place sur une table dans la cuisine. Je la regardais en pelant les légumes. Elle me fascinait et je n'avais jamais pensé qu'il y avait tant de choses à observer chez une souris.

Sa fourrure de bébé était terne, gris acier; mais elle s'est bientôt colorée d'un brun rouge, les chevilles gris foncé et les pattes blanches. Je croyais que la queue des souris était flasque et sans poils. Non. La queue de Mousie était poilue; et au lieu qu'elle traîne dernière comme un bout de corde, Mousie la tenait haut et raide. Parfois, la queue était par-dessus le dos de Mousie, en forme de point d'interrogation.

Elle se lavait comme un chat. Assise sur son petit derrière (elle aurait pu tenir sur un timbre-poste sans déborder), elle se léchait les flancs, mouillait ensuite ses pattes pour laver ses oreilles, son cou et sa face. Elle saisissait une patte de derrière, avec des doigts tout à coup simiens, et léchait le bout de ses orteils. Comme dernière ablution, elle prenait sa queue et, comme si elle mangeait un épi de maïs, elle la lavait d'un bout à l'autre avec sa langue.

En quelques jours, Mousie était apprivoisée. Elle suçait mes doigts et tapait dessus avec ses pattes comme un chiot enjoué. Elle aimait se faire flatter. Si je la tenais dans ma main et la caressais doucement avec l'index, elle soulevait son menton, comme un chat, pour que je caresse sa mâchoire. Ensuite, elle se couchait sur le dos dans la paume de ma main, les yeux fermés, les pattes molles et le nez pointé vers le ciel, au comble du bonheur.

Notre petite amie dormait dans une tasse en plastique, drapée de guenilles qu'elle déchiquetait pour s'en faire un édredon doux et pelucheux. Après quelque temps, j'ai remplacé la tasse par une demi-coquille de noix de coco que j'ai renversée, après avoir découpé une porte dans le bas. C'était une très belle maison de souris, tout à fait tropicale. Mousie l'a garnie de peluche du plancher au plafond.

Dans la cage, il y avait des baguettes servant de perchoir, et une roue d'exercice sur laquelle Mousie a franchi plusieurs kilomètres pour aller nulle part. Son talent athlétique était étonnant. Un jour, j'ai déposé Mousie dans un seau à déchets vide pendant que je nettoyais sa cage. Elle a fait un bond de près de quarante centimètres, rejoignant presque le bord du seau. Mousie gardait sa nourriture dans une petite boîte d'aluminium que nous avions vissée sur le mur de la cage. Richard et moi l'appelions la First Mouse National Bank. Si je répandais des graines de nourriture pour oiseaux dans la cage, Mousie s'empressait de les transporter, en bourrant ses petites bajoues, pour les déposer à la banque.

Malgré les nombreuses occupations de Mousie, je craignais qu'elle s'ennuie. J'ai demandé l'aide d'un biologiste que je connaissais. C'est lui qui a déterminé le sexe de Mousie (pour un profane, le derrière d'une souris est pour le moins énigmatique), et il a apporté une souris de laboratoire mâle comme compagnon.

La nouvelle souris avait un corps solide, n'avait pas de poils sur la queue et sentait la souris, contrairement à notre Mousie, qui ne semblait pas dégager d'odeur. Je l'ai appelé Stinky et, non sans hésitation, je l'ai mis dans la cage de Mousie.

Stinky se trimbalait ça et là, ne regardant rien de particulier, jusqu'à ce qu'il trouve les graines de Mousie. De ses dents saillantes, il a attaqué ces douceurs avec enthousiasme. Descendant de son perchoir à la vitesse de l'éclair, Mousie a mordu la queue de Stinky. Il a continué à se gaver. Dégoûtée, Mousie est allée se coucher.

Malgré ces débuts peu prometteurs, un vif attachement est né. Les deux souris dormaient lovées ensemble. Mousie a passé une grande période de temps à lécher Stinky. Elle le tenait couché et le massait de ses pattes. Il lui rendait ses caresses sans y mettre autant d'ardeur. Sa passion était pour la nourriture.

Un jour, j'ai fait une expérience. J'ai placé la banque de nourriture de Mousie sur le plancher de la cage. Stinky l'a reniflée dès le début. Mousie surveillait, les moustaches frémissantes, et j'ai eu la nette impression de voir la consternation sur sa face. Avec une rapidité de décision qui m'a étonnée, Mousie a attrapé une bourre de son lit, l'a tassée dans la banque, scellant ainsi son trésor. C'était brillant. Déconcerté, Stinky s'est éloigné.

En dépit de leur comportement peu généreux l'un envers l'autre, j'avais l'impression que Stinky rendait Mousie heureuse. Après une séparation, leur réunion était toujours joyeuse. Mousie sautant partout sur Stinky et le léchant pratiquement à le mettre en pièces. Même le dur et vieux Stinky montrait de l'enthousiasme.

Stinky est devenu malade et je ne m'en suis pas aperçue. Un jour, après un an ensemble, j'ai vu Mousie, assise et tremblotante sur son perchoir alors qu'elle aurait dû dormir. J'ai regardé dans la cage et j'ai aperçu Stinky mort, froid comme le marbre.

Seule pour le reste de ses jours, Mousie a vécu plus de trois ans. Je crois que c'est beaucoup plus que la moyenne des souris. Elle n'a montré aucun signe de vieillesse ou de faiblesse. Un jour, je l'ai trouvée morte.

En prenant son corps si léger dans ma main pour le transporter dans la prairie, j'ai éprouvé une grande tristesse. Elle m'avait tant donné. Elle a stimulé mon imagination et m'a ouvert une fenêtre sur le monde lilliputien. En plus, il y avait des moments où je ressentais un contact entre son petit être et moi. Parfois, quand je la caressais tendrement et qu'elle suçait mes doigts en retour, j'avais l'impression qu'un message d'affection passait entre nous.

J'ai placé le corps de Mousie sur l'herbe et je suis retournée à la maison. J'étais triste, pas pour Mousie, mais pour moi. La taille d'un ami ne se compare pas au vide qu'il ou qu'elle laisse derrière. Je savais que cette petite bête me manquerait.

Faith McNulty

Le chat et le grizzly

«Une autre boîte de chatons jetée par-dessus la clôture, Dave», m'a dit un de nos bénévoles en m'accueillant un matin d'été. J'ai soupiré. En ma qualité de fondateur du Wildlife Images Rehabilitation Center, j'avais déjà assez de travail en prenant soin des animaux sauvages sous notre garde. Mais, pour une raison ou pour une autre, les gens des alentours, qui n'avaient pas le courage de laisser des chatons qu'ils ne voulaient pas à la fourrière, les déposaient souvent sur notre terrain. Ils savaient que nous tenterions de les sauver, de les nettoyer et de les châtrer, et de leur trouver un foyer par notre réseau d'environ 100 bénévoles.

La nichée du jour comprenait quatre chatons. Nous avons réussi à en attraper trois, mais le dernier petit espiègle nous a échappé. Dans un parc de vingt-quatre acres, il n'y avait pas grand-chose à faire pour retrouver le chaton disparu, sans oublier que bien d'autres animaux avaient besoin de nos soins. J'ai vite oublié le chaton perdu pour vaquer à mes occupations quotidiennes.

Environ une semaine plus tard, j'étais avec un de mes «invités» préférés, un grizzly géant appelé Griz. Cet ours grizzly avait été envoyé ici comme orphelin, il y a six ans, après avoir été frappé par un train au Montana. Il avait été sauvé par un Amérindien, après avoir été inconscient pendant six jours dans une unité de soins intensifs d'un hôpital du Montana, et s'être retrouvé avec des problèmes neurologiques et aveugle de l'œil droit. Une fois rétabli, il était évident qu'il était trop habitué aux humains et trop handicapé mentalement pour retourner dans la nature. C'est ainsi qu'il a établi domicile en permanence chez nous.

Les grizzlys ne sont pas sociables de nature. Ils sont solitaires, sauf quand ils s'accouplent ou élèvent des petits. Mais ce grizzly aimait les gens. Je prenais plaisir à être avec Griz, m'en occupant personnellement de façon régulière. Mais il fallait être prudent, car une créature de 250 kilos peut, sans le vouloir, causer beaucoup de dommages à un être humain.

En cet après-midi de juillet, je me suis approché de sa cage pour notre rencontre quotidienne. On venait de lui servir son repas habituel, un mélange de légumes, de fruits, de larges portions de nourriture sèche pour chiens, de poisson et de poulet. Griz était couché avec le seau entre ses pattes avant et il mangeait quand j'ai remarqué une petite tache orange qui sortait du mûrier sauvage dans l'enclos du grizzly.

C'était le chat perdu. Il avait probablement six semaines et ne pouvait pas peser plus de cinq cents grammes. J'aurais dû normalement m'inquiéter de cette pauvre petite chose qui allait mourir de faim. Mais ce chat avait pris un très mauvais virage et il se pourrait qu'il ne vive plus très longtemps.

Qu'est-ce que je devrais faire? Si je courais dans l'enclos pour tenter de secourir le chaton, j'aurais peur qu'il prenne panique et se jette sur Griz. Je suis donc resté là à observer, en espérant qu'il ne s'approcherait pas trop de l'énorme grizzly.

Il l'a fait. Le petit chat s'approchait de l'ours géant en ronronnant et en miaulant. J'avais peur. Tout ours normal l'aurait avalé comme dessert.

Griz l'a regardé. J'étais dans mes petits souliers en le regardant soulever sa patte vers le chat et je me suis préparé au pire.

Mais Griz a mis sa patte dans son seau de nourriture, en a sorti un morceau de poulet et l'a lancé au chat affamé. Le petit chat s'est jeté sur le morceau et l'a apporté en vitesse dans les buissons pour le manger.

J'ai poussé un soupir de soulagement. Ce chat était un animal chanceux! Il s'est approché du seul des seize ours que nous avons hébergés qui pouvait le tolérer, et le seul sur un million disposé à partager son repas.

Quelques semaines plus tard, j'ai encore vu le chat manger avec Griz. Cette fois-là, il se frottait et ronronnait contre l'ours, et Griz s'est penché et l'a attrapé par le cou. Ce fut le début d'une grande amitié. Nous avons nommé le chaton Chat.

Maintenant, Chat mange avec Griz tout le temps. Il se frotte contre l'ours, lui tapote le nez, lui tend des guets-apens et dort même avec lui. Bien que Griz soit un ours gentil, la gentillesse d'un ours ne l'est pas à ce point. Une fois, Griz a marché accidentellement sur Chat. Il avait l'air horrifié quand il a vu ce qu'il avait fait. Parfois, quand Griz essaie de prendre Chat par le collet, il se trouve qu'il a toute la tête de Chat dans sa gueule. Mais Chat ne semble pas s'en formaliser.

Ils éprouvent l'un envers l'autre un amour pur et simple, allant au-delà de la taille et de l'espèce. Les deux animaux ont réussi avec succès à survivre à leurs débuts difficiles. Mais plus que cela, ils semblent tous deux si contents d'avoir trouvé un ami.

Dave Siddon
Fondateur, Wildlife Images Rehabilitation Center
Tel que raconté à Jane Martin

7

LES ADIEUX

… l'amour ne connaît sa véritable profondeur qu'à l'instant de la séparation.

Kahlil Gibran

À toi pour toujours, Rocky

Un matin sombre, je ne suis pas allé travailler, sachant que c'était aujourd'hui qu'il fallait *le* faire. Notre chien, Rocky, devait être endormi. La maladie avait ravagé son corps autrefois si fort et, malgré tous nos efforts pour guérir notre boxer adoré, sa maladie s'aggravait.

Je me souviens l'avoir appelé dans la voiture... combien il aimait se promener en auto! Mais il semblait comprendre que cette fois-ci, ce serait différent.

J'ai circulé en rond pendant des heures, cherchant une course à faire ou une excuse pour ne pas aller chez le vétérinaire, mais je ne pouvais plus retarder l'inévitable. En écrivant le chèque au vétérinaire pour «endormir» Rocky, mes yeux étaient remplis de larmes qui sont tombées sur le chèque, de sorte qu'il était pratiquement indéchiffrable.

Nous avions Rocky depuis quatre ans, juste avant la naissance de notre premier fils, Robert. Nous l'aimions tous très fort, surtout le petit Robert.

Mon cœur était déchiré en retournant à la maison. Je m'ennuyais déjà de Rocky. Robert est venu à ma rencontre dès que je suis sorti de l'auto. Quand il m'a demandé où était notre chien, je lui ai expliqué que Rocky était maintenant au ciel. Je lui ai dit que Rocky avait été tellement malade et que maintenant il était heureux et pouvait courir et jouer tout le temps.

Mon petit de quatre ans a réfléchi, m'a regardé avec ses yeux bleu clair et un sourire innocent, il a pointé le ciel et a dit: «Il est là-haut, c'est vrai, papa?» J'ai dit oui d'un signe de tête et je suis entré dans la maison. Ma femme m'a regardé et s'est mise à pleurer doucement. Puis, elle m'a demandé où était Robert, et je suis allé le chercher dans la cour.

Là, Robert courait dans tous les sens, lançant un gros bâton dans les airs, attendant qu'il revienne sur le terrain pour le ramasser à nouveau et le lancer toujours plus haut. Quand je lui ai demandé ce qu'il faisait, il s'est simplement retourné et a souri.

«Je joue avec Rocky, Papa...»

S.C. Edwards

Ces mains-là...

À mains nues, je finissais de remplir la fosse de Pepsi. Ensuite, je me suis assis en me remémorant le passé et en prenant conscience de tout ce qui était arrivé.

En fixant mes mains tachées de boue, mes yeux se sont immédiatement remplis de larmes. C'étaient ces mains-là qui, comme vétérinaire, avaient extrait Pepsi, un schnauzer miniature, du ventre de sa mère. Il était le dernier-né et à moitié vivant. J'ai littéralement insufflé la vie au chien qui était destiné à devenir sur terre l'ami le plus proche de mon père. Je ne savais pas alors jusqu'à quel point.

Pepsi, c'était mon cadeau à papa. Mon père avait toujours eu des gros chiens sur notre ferme au sud-est de l'Idaho. Mais, instantanément, Pepsi et papa ont tissé des liens inséparables. Pendant dix ans, ils ont partagé la même nourriture, la même chaise, le même lit, le même tout. Si papa était quelque part, Pepsi y était. Au village, à la ferme, en promenade... ils étaient toujours côte à côte. Maman avait accepté que papa et le petit chien forment cette sorte d'union.

Aujourd'hui, Pepsi n'est plus. Et moins de trois mois auparavant, nous avons enterré papa.

Papa était en dépression depuis nombre d'années. Un après-midi, juste avant son quatre-vingtième anniversaire, papa a décidé de s'enlever la vie au sous-sol de notre vieille ferme. Nous avons été bouleversés et accablés.

La famille et les amis se sont réunis à la maison ce soir-là pour nous réconforter, ma mère et moi. Plus tard, après le départ de la police et de tous les autres, j'ai finalement remarqué que Pepsi jappait furieusement et je l'ai fait entrer dans la maison. J'ai constaté alors que le petit chien avait jappé pendant des heures. Il était le seul à la maison quand papa a décidé de mettre fin à ses jours. Comme un éclair, Pepsi a couru immédiatement au sous-sol.

Plus tôt dans la soirée, je m'étais juré de ne jamais y retourner. La douleur était trop grande. Mais maintenant, rempli de peur et de crainte, je me suis retrouvé dans l'escalier menant au sous-sol, à la poursuite de Pepsi.

Arrivé au bas de l'escalier, j'ai trouvé Pepsi qui se tenait droit comme une statue, fixant l'endroit où papa était étendu, mourant, quelques heures auparavant. Il tremblait et il était agité. Je l'ai pris gentiment et j'ai monté l'escalier à reculons. Une fois en haut, Pepsi, rigide dans mes bras, est devenu mou et il a émis une plainte angoissée. Je l'ai installé tendrement dans le lit de papa et il s'est endormi immédiatement.

Quand j'ai raconté à maman ce qui était arrivé, elle en fut étonnée. Pendant les dix années où Pepsi avait vécu dans cette maison, le petit chien n'était jamais allé au sous-sol. Maman m'a rappelé que Pepsi avait une peur bleue des escaliers et qu'il fallait toujours le porter, même si les marches étaient basses et larges.

Pourquoi, alors, Pepsi s'est-il précipité en bas de ces marches étroites menant au sous-sol? Papa avait-il demandé du secours plus tôt dans la journée? Avait-il dit adieu à son cher compagnon? Ou bien Pepsi avait-il pressenti que papa était en danger? Qu'est-ce qui avait pu pousser si fort Pepsi à descendre les marches, malgré sa peur?

Le matin suivant, quand Pepsi s'est réveillé, il a cherché mon père. Affolé, le petit chien a continué à le chercher pendant des semaines.

Pepsi ne s'est jamais remis de la mort de mon père. Il s'est replié sur lui-même et s'est affaibli lentement. Des douzaines d'examens et une deuxième opinion ont confirmé le diagnostic que je connaissais. Pepsi se mourait parce qu'il avait le cœur brisé. Aujourd'hui, malgré mes années de formation, j'étais impuissant à empêcher la mort du chien adoré de mon père.

Assis là près de la tombe fraîchement creusée de Pepsi, tout m'est apparu plus clair soudainement. Depuis des années, je m'émerveillais des sens développés des chiens. Leur ouïe, leur vue et leur odorat sont tous supérieurs à ceux des humains. Hélas, leur cycle de vie est court par comparaison et j'ai dû conseiller et réconforter des milliers de personnes qui pleuraient la perte de leurs animaux chéris.

Cependant, jamais auparavant je n'avais pensé à la difficulté pour les animaux de dire adieu à leurs compagnons humains. Après avoir vu le dévouement sans borne de Pepsi envers papa et le déclin rapide du chien après sa mort, j'ai compris que le sentiment de perte de nos bêtes était à tout le moins comparable au nôtre.

Je suis reconnaissant de l'amour que Pepsi a porté à mon père. Et de ce cadeau qu'il m'a fait, j'ai acquis une plus grande compassion et une plus grande compréhension des animaux, qui m'ont rendu meilleur vétérinaire. Pepsi ne cherche plus papa, c'est fini. Ensemble à nouveau, mon père et son loyal petit chien ont finalement trouvé la paix.

Marty Becker, D.M.V.

Cœur à cœur

Je suis conseillère au programme *Changements* du Colorado State University Veterinary Teaching Hospital. Nous aidons les gens qui ont perdu un animal, que ce soit par maladie, par accident ou par euthanasie.

Un jour, j'ai eu une cliente, Bonnie, une femme au milieu de la cinquantaine. Bonnie avait conduit pendant une heure et demi de Laramie, Wyoming, pour savoir si les médecins pouvaient aider son caniche noir de quatorze ans, Cassandra, surnommée affectueusement Cassie. La chienne était léthargique depuis environ une semaine et semblait parfois confuse. Le vétérinaire de l'endroit n'avait pas pu diagnostiquer un problème médical sous-jacent, et Bonnie avait décidé de se rendre au CSU pour une deuxième opinion.

Malheureusement, Bonnie n'a pas eu la réponse qu'elle espérait. Plus tôt dans la journée, un neurologue, le Dr Jane Bush, lui avait dit que Cassie avait une tumeur au cerveau et qu'elle pourrait mourir à tout instant.

Bonnie était désespérée d'apprendre que sa compagne canine était si malade. On lui avait donné des renseignements précis sur tous les choix de traitement disponibles. Ils ne prolongeraient la vie de Cassie que de quelques semaines. Il n'y avait, ont-ils ajouté, aucune cure.

C'est alors que Bonnie m'a été présentée. Le programme *Changements* aide souvent les gens alors qu'ils luttent avec la pénible décision de savoir s'il vaut mieux pratiquer l'euthanasie ou laisser la nature suivre son cours.

Bonnie avait des cheveux frisés d'un brun pâle grisonnant, retenus à la nuque par une grosse barrette. Le jour où je l'ai rencontrée, elle portait des jeans, des souliers de tennis et un chemisier blanc à rayures roses. Elle avait des yeux vifs bleu clair qui ont immédiatement retenu mon attention, et il émanait d'elle un calme qui m'incitait à croire que c'était une personne qui réfléchissait avant d'agir, une femme qui ne prenait pas de décisions hâtives. Elle semblait sympathique et les deux pieds sur terre, tout comme les gens avec qui j'ai grandi au Nebraska.

J'ai commencé par lui dire que je comprenais la difficulté de sa situation. Je lui ai ensuite expliqué que le médecin m'avait demandé de me pencher sur son cas parce qu'elle devait prendre plusieurs décisions difficiles. Quand j'ai cessé de parler, elle m'a dit, d'une manière prosaïque: «Je connais le chagrin et je sais que parfois nous avons besoin d'aide pour nous en sortir.»

Pendant vingt ans, Bonnie avait été mariée à un homme qui la maltraitait. Il était abusif et négligent dans tous les domaines imaginables. Étant alcoolique, il était donc impossible de prédire ce qui arriverait d'une journée à l'autre. À maintes reprises, Bonnie avait tenté de le quitter, mais elle ne pouvait pas s'y résigner.

Finalement, à l'âge de quarante-cinq ans, elle a trouvé le courage de partir. Elle et Cassie, qui avait quatre ans à l'époque, sont déménagées à Laramie, Wyoming, pour panser les vieilles blessures et commencer une nouvelle vie. Cassie l'aimait et en avait besoin, et c'était la même chose pour Bonnie. Il y a eu plusieurs périodes difficiles mais Bonnie et Cassie les ont vécues ensemble.

Six ans plus tard, Bonnie a rencontré Hank, un homme qui l'aimait comme elle n'avait jamais été aimée auparavant. Ils se sont rencontrés à l'église et ont bientôt découvert qu'ils avaient beaucoup de points en commun.

Ils se sont mariés un an plus tard. Des conversations, de l'affection, la simple routine et le bonheur comblaient leur mariage. Bonnie vivait la vie dont elle avait toujours rêvé.

Un matin, Hank se préparait à aller travailler au service d'émondage. Comme toujours, Bonnie et lui se sont embrassés à la porte de leur maison et se sont dit à haute voix combien ils étaient bénis d'être ensemble. Ils se disaient souvent ces choses-là. Tous deux étaient très conscients de la valeur «unique» de l'autre.

Bonnie travaillait à la maison ce jour-là, plutôt qu'à son bureau où elle était adjointe. Tard dans l'après-midi, le téléphone a sonné. En prenant le récepteur, elle a entendu la voix du chef d'équipe qui dirigeait le service de recherche et sauvetage pour lequel Bonnie était bénévole. Très souvent, c'est Bonnie qu'on appelait en premier quand quelqu'un était en difficulté.

Cette fois, Margie lui a dit qu'un homme avait été électrocuté sur une ligne électrique à deux coins de rue de la résidence de Bonnie. Elle a tout laissé tomber, est sortie en trombe de la maison et a sauté dans son camion.

À son arrivée sur les lieux, Bonnie a vu une image qui s'est gravée dans sa tête pour le reste de ses jours. Hank, son amour, pendait sans vie des branches d'un grand peuplier.

Bonnie a oublié toute la formation sur la sécurité qu'elle avait reçue pour aider les personnes électrocutées. Elle ne se préoccupait pas de sa propre sécurité. Elle devait faire tout ce qu'elle pouvait pour sauver Hank. Il fallait qu'elle le descende. Elle a attrapé l'échelle dans son camion, l'a appuyée sur la maison et a commencé à grimper. Bonnie a rampé sur le toit et a tiré le corps de Hank loin de l'arbre, près d'elle. Miraculeusement, même si elle a touché son corps qui touchait au poteau électrique, elle n'a pas été électrocutée. Elle a tiré Hank sur les bardeaux bruns du toit et a glissé sa tête dans son bras replié. Elle a hurlé en voyant sa figure couleur cendre. Ses yeux fixaient le ciel bleu clair du Wyoming. Il était mort. Parti. Il ne pouvait pas être ramené à la vie. Elle savait au tréfonds d'elle-même que leur vie à deux était terminée.

Pendant les quatre années qui ont suivi la mort de Hank, Bonnie a essayé de se remettre. Elle avait des hauts et des bas, mais surtout des bas. Elle a appris beaucoup de choses sur la douleur, la dépression qui suit, la colère, le sentiment de trahison et les questions sans fin, notamment pourquoi on lui avait enlevé Hank d'une façon si brutale et si imprévisible. Elle a vécu avec la frustration de ne pas lui avoir dit adieu, de ne pas avoir eu l'occasion de lui dire tout ce qu'elle voulait, de n'avoir pas pu le réconforter, le panser, l'aider à quitter sa vie pour aller vers une autre. Elle n'était pas préparée à une telle fin. Ce n'était pas comme ça qu'elle voulait que son meilleur ami, son amour, son partenaire, meure.

Quand Bonnie s'est tue, nous nous sommes toutes deux assises en silence pendant un certain temps. Finalement, j'ai dit:

«Aimeriez-vous que la mort de Cassie soit différente de celle de Hank? Je veux dire aimeriez-vous planifier et préparer sa mort? Ainsi, vous n'aurez pas de surprises et, bien que vous écourtiez sa vie de quelques jours, vous serez certaine d'être près d'elle jusqu'à la toute fin. Je parle d'euthanasie, Bonnie. Avec l'euthanasie, vous ne vous inquiéterez pas de trouver Cassie morte en rentrant à la maison, et vous aurez l'assurance qu'elle ne mourra pas dans la souffrance. Si nous aidons Cassie à mourir par euthanasie, vous pourrez être avec elle, la tenir, lui parler et la réconforter. Vous pourrez en toute quiétude l'envoyer vers sa nouvelle vie. Le choix vous appartient.»

Bonnie a ouvert de grands yeux. Ses épaules se sont détendues et son visage s'est adouci de soulagement.

«J'ai seulement besoin d'avoir la maîtrise cette fois, a-t-elle dit. Je veux que la mort de ma petite soit différente de celle de Hank.»

La décision de pratiquer l'euthanasie sur Cassie a été prise ce même après-midi. J'ai laissé seules Bonnie et Cassie passer les quelques heures suivantes étendues sous l'érable. Bonnie a parlé à Cassie, a caressé son dos de poils noirs frisés et l'a aidée à trouver une position confortable quand elle semblait incapable de le faire par elle-même. Une légère brise faisait frémir les arbres, ajoutant un doux bruissement à la scène paisible.

Le moment venu, Bonnie a amené Cassie dans la salle de confort des clients, un endroit que ceux qui sont associés au programme *Changements* avaient adapté pour être plus favorable à une mort clémente pour l'animal et à la peine du client. J'ai demandé à Bonnie de me dire s'il y avait quelque chose qu'elle voulait faire pour Cassie avant qu'elle meure. En riant, elle m'a dit: «Elle aimait manger des mouchoirs de papier. J'aimerais lui en donner.»

J'ai ri à mon tour. «Dans ce métier, nous en avons beaucoup», ai-je répliqué.

Le chien était couché près de Bonnie, qui était sur un doux coussinet. Bonnie a commencé à la caresser et à lui parler. «Voilà, ma fille. Tu es ici, tout près de maman. Tout va très bien.»

Pendant la demi-heure suivante, Bonnie et Cassie se sont «parlé» et se sont «fait leurs adieux». Tout ce qui devait être dit l'a été.

Le moment de l'euthanasie est venu et Cassie dormait paisiblement, sa tête reposant sur l'estomac de

Bonnie. Elle semblait confortable, très calme. Le Dr Bush a murmuré: «Pouvons-nous commencer?» Et Bonnie a opiné de la tête.

«Mais tout d'abord, a-t-elle dit doucement, je voudrais dire une prière.»

Elle a tendu ses mains vers les nôtres et nous nous sommes tous tenus par la main. À l'intérieur du cercle sacré, Bonnie a récité doucement cette prière: «Seigneur, merci de m'avoir donné ce beau chien pendant les quatorze dernières années. Je sais que c'était un cadeau de ta part. Aujourd'hui, aussi difficile que cela puisse l'être, je sais que le moment est venu de la rendre. Et, Seigneur, merci d'avoir mis ces femmes sur mon chemin. Elles m'ont aidée au-delà du possible. Elles sont ici grâce à toi. Amen.»

À travers nos larmes, nous avons murmuré nos propres «amen», serrant la main des autres en signe d'appui pour la solennité du moment.

Ensuite, pendant que Cassie continuait de dormir paisiblement sur le ventre de sa maîtresse, le médecin a donné au chien l'injection finale. Cassie ne s'est pas réveillée. Tout ce temps, elle n'a pas bougé. Elle a juste glissé de cette vie vers une autre. Ce fut rapide, paisible et sans douleur, exactement comme nous l'avions prédit.

Tout de suite après le départ de Cassie, j'ai moulé sa patte de devant dans l'argile. J'ai donné l'impression de la patte à Bonnie, et elle l'a tenue tendrement contre sa joue. Nous étions toutes assises tranquilles jusqu'à ce que Bonnie rompe le silence pour dire: «Puisque mon mari devait mourir, j'aurais voulu que ce soit ainsi.»

Moi aussi, Bonnie, ai-je pensé. *Moi aussi.*

Six semaines plus tard, j'ai reçu une lettre de Bonnie. Elle avait jeté les cendres de Cassie sur la même montagne où celles de Hank avaient été répandues. Désormais, ses deux meilleurs amis étaient à nouveau ensemble. Elle a dit que, d'une certaine façon, la mort de Cassie, particulièrement la manière dont elle est morte, l'a aidée à accepter la mort de son mari.

«La mort de Cassie m'a servi de pont vers Hank, a-t-elle écrit. Par sa mort, je lui ai fait comprendre que si j'avais eu le choix quand il est mort, j'aurais eu le courage et le dévouement nécessaires pour être avec lui aussi à ses derniers instants. J'avais besoin qu'il sache que je n'avais pas pu trouver un moyen. C'est Cassie qui l'a trouvé. Je crois que c'est la raison et la signification de sa mort. En quelque sorte, elle savait qu'elle pouvait nous relier, cœur à cœur.»

Huit mois plus tard, Bonnie est une autre fois venue du Wyoming à l'hôpital d'enseignement vétérinaire. Mais cette fois, elle avait emmené son nouveau toutou en santé, Clyde, un mélange de labrador de neuf mois, plein de vie et d'amour. Bonnie recommençait.

Carolyn Butler, avec Laurel Lagoni

Le pont Arc-en-ciel

Le TEMPS est
Trop lent pour ceux qui attendent,
Trop rapide pour ceux qui ont peur,
Trop long pour ceux qui pleurent,
Trop court pour ceux qui sont dans la joie.
Mais pour ceux qui aiment,
Le temps n'existe pas.

Henry van Dyke

Il y a un pont qui relie le ciel et la terre.

Il s'appelle le pont Arc-en-ciel parce qu'il a beaucoup de couleurs. De ce côté du pont Arc-en-ciel se trouve des terres faites de prairies, de collines et de vallées recouvertes d'herbe d'un vert luxuriant.

Quand une bête chérie meurt, l'animal va à cette merveilleuse terre. Il y a toujours de la nourriture et de l'eau, sous un chaud climat printanier.

Là, les animaux vieux et chétifs sont à nouveau jeunes. Ceux qui sont mutilés retrouvent leurs membres. Ils jouent toute la journée les uns avec les autres, heureux et confortables.

Il n'y a qu'une seule chose qui manque. Ils ne sont pas avec la personne qui les a aimés sur terre.

Donc, chaque jour, ils courent et jouent jusqu'à ce que vienne le jour où l'un d'eux cesse soudainement de jouer et regarde le ciel! Alors, le nez remue! Les oreilles se levent! Les yeux fixent! On vous a vu et cet être s'éloigne soudainement du groupe!

Vous le prenez dans vos bras et vous l'étreignez. On vous lèche la figure, encore et encore, et vous regardez à nouveau dans les yeux de votre animal confiant.

Puis, ensemble, vous traversez le pont Arc-en-ciel, pour ne plus jamais être séparés.

Auteur inconnu

Ce déguisement de chien ne trompe personne

... leur donner un diadème au lieu de cendre,
de l'huile de joie au lieu d'un vêtement de deuil,
un manteau de fête au lieu d'un esprit abattu.

Isaïe, 61:3

Le matin de Noël 1958, mon père était venu à l'église avec nous et je devais chanter mon premier solo. J'avais onze ans. Après l'office, dans le stationnement, il s'est penché, m'a pris la main et m'a dit à quel point il était fier d'être mon père. Je l'aimais très fort, et ce fut l'un des moments les plus parfaits de mon enfance.

Le jour suivant, quand papa est revenu d'une course chez le quincaillier, il a franchi la porte avant et, ne se sentant apparemment pas bien, il est allé dans sa chambre où il s'est étendu sur le lit en proie à une attaque cardiaque foudroyante. Notre famille regardait, incrédule et impuissante, cet homme, le lien qui unissait nos vies, lutter bravement pour s'accrocher à la sienne. L'ambulance est arrivée trop tard et la tragédie qui détermina l'avenir de notre famille avait duré moins de vingt minutes.

Les Indiens d'Amérique ont une phrase pour décrire les enfants qui ont une connaissance intime de la douleur. Ils disent que l'enfant a développé les *yeux du ciel*. Je me souviens vaguement des années douloureuses qui ont suivi immédiatement la mort de mon père, mais les photos de moi à cette époque montrent un regard lointain, une distance, comme si je voyais une partie du ciel.

À vingt-quatre ans, je me suis fiancée à un beau jeune homme charismatique, un européen. Dans l'enchantement de l'amour, l'impact engourdissant du décès de mon père a été mis de côté. J'ai commencé à rêver aux merveilleuses possibilités qui s'offraient à nous. Jusqu'au matin où j'ai reçu un téléphone m'annonçant que mon fiancé avait été volé et tué dans le centre-sud de Los Angeles. La soudaineté de cette nouvelle m'a coupé le souffle.

Cette deuxième tragédie était aussi subite et dévastatrice que la première, et elle a ancré ma croyance que la vie était d'une fragilité brutale. J'ai fermé mon cœur et je me suis cantonnée dans une vie diminuée, incapable de ressentir de joie profonde, mais pire encore, incapable de prier.

J'ai vécu comme si deux personnes étaient à l'intérieur de moi, un personnage public et un personnage privé. Ma carrière publique était florissante. J'avais gagné un Grammy pour la chanson «Up Where We Belong», que j'avais interprétée avec Joe Cocker. Je me réjouissais dans ma musique, car chanter pour moi, c'était être en «zone libre». Mais la personne privée s'étiolait. Je me sentais étouffée par le ressentiment et profondément trahie par Dieu.

J'ai survécu sept ans ainsi, jusqu'à ce qu'une amie perspicace m'offre un chiot, un mauvais mélange de golden retriever, et une obligation dans ma vie tout à fait importune. À contrecœur, j'ai décidé de la garder.

Je l'ai appelée Emma et comme tout autre propriétaire de chien, j'ai commencé à lui dire quoi faire, mais plus fréquemment quoi ne pas faire.

«Ne mâche pas ça, marche de cette façon, mange ici, fais tes besoins là, assieds-toi, sors du lit, cesse de japper...»

Équipée d'un tas de manuels pour l'entraînement, je suis devenue la police du chiot, imposant à cette petite créature les règles habituelles et ridicules, et des tours stupides. Emma faisait bien son numéro mais elle me regardait d'un air de dire: «C'est tout à fait inutile.» Son audace me faisait rire aux éclats. Je constate aujourd'hui qu'elle ne faisait qu'attendre le moment où je comprendrais.

Quand Emma eut près de quatre ans, nos rôles se sont inversés. Quelque chose en moi s'est ouvert à elle et j'ai trouvé qu'elle me «disait» souvent quoi faire, comme «sors de ton bureau, assieds-toi avec moi pour regarder les papillons, va-t'en à la maison et dors, écoute chanter les oiseaux sauvages...» J'ai commencé à observer ses habitudes naturelles et ses impulsions, et à remarquer la grâce avec laquelle elle accueillait le déroulement des journées. Elle m'a montré une vision du monde qui a fait paraître la mienne ridicule.

J'ai commencé à emmener Emma avec moi pour de petits voyages. J'avais l'impression qu'elle *savait quelque chose* et j'étais décidée à trouver ce que c'était. Nous sommes allées sur la côte de la Californie et je m'arrêtais pour la laisser explorer tout ce qui l'intéressait dans les environs. Je l'ai laissée me guider et je l'ai suivie, alors qu'elle trottait sur des sentiers de séquoias, et j'ai découvert des petites baies cachées. Nous avons marché ici et là avec les étoiles de mer au clair de lune et nous avons joyeusement répondu aux cris des phoques. Nous avons couru le long de la plage jusqu'à ce que nous soyons épuisées. J'ai commencé à sentir toutes sortes d'odeurs – le trèfle frais, les algues, la sauge. Mon ouïe, trop sollicitée par le studio d'enregistrement, s'est raffinée petit à petit et j'ai entendu les plus petits bruits de la nature, comme des pas de souris ou un lézard sur une branche.

La chienne était ma maîtresse. Je la regardais accueillir chaque étranger avec curiosité et chaleur, m'invitant gracieusement à la présenter à ces personnages souvent très fascinants. J'en suis venue à aimer sa nature franche et amicale. Les cicatrices apparemment irréparables de mes pertes brutales guérissaient lentement à mesure que j'apprenais à aimer les joies incroyablement simples de la vie d'un chien.

L'influence d'Emma s'est étendue jusque dans ma carrière musicale. Au studio d'enregistrement, nous étions inséparables pendant la création de mes deux plus grands succès sur CD. Les sessions d'enregistrement étaient plus calmes quand elle était là. Emma a contribué à créer un lien entre les musiciens par le simple fait de dormir à mes pieds, par ses accueils incessants ou son don pour calmer les gens. Quand elle était là, nos éclats de rire étaient plus fréquents, et ce rire s'est infiltré dans la musique.

Dans le livret de l'un de mes CD, il y a une photo de nous sur une route. Cette photo est très représentative de nous deux: se promener de par le vaste monde, satisfaites d'être simplement ensemble.

Plus tard, Emma est devenue malade. Elle avait huit ans. Une chirurgie exploratoire a révélé un cancer avancé. Son vétérinaire, un homme merveilleux, le Dr Martin Schwartz, m'a dit qu'il se pourrait qu'elle n'ait pas plus d'un mois à vivre.

La semaine suivante s'est passée dans un lourd silence. Le soir, nous nous assoyions ensemble sur le perron, attendant de voir les étoiles. Tout comme les nombreux moments de paix que nous avons partagés autrefois, nous étions assises épaule contre épaule, et nous écoutions les petits bruissements des feuilles, guettant la tombée de la lumière et nous délectant d'être ensemble. Toute parole était inutile, mais parfois, je chantais pour elle et elle semblait sourire.

Quand j'ai constaté qu'elle n'avait plus envie de manger, je l'ai amenée chez le vétérinaire pour une journée afin qu'il la nourrisse par intraveineuse et lui redonne des forces. Pendant toute cette journée, je ne pensais qu'à aller chercher Emma et reprendre nos marches sur la plage au coucher du soleil. En sortant, j'ai trouvé par hasard, dans un tiroir, une épingle à cravate de papa. Je l'ai glissée dans ma poche de jeans. C'était une sorte de talisman contre l'inévitable. Je devais savoir que la fin était proche.

Une fois arrivée chez le vétérinaire, j'ai demandé Emma. L'infirmière m'a dit doucement: «Le médecin veut vous parler.» Ses paroles douces ont eu l'effet d'un choc. Je me suis enfoncée dans une chaise et les larmes sont remontées d'une ancienne rivière de défaites.

Le Dr Schwartz m'a dit qu'Emma n'était pas assez forte pour quitter la clinique. Il m'a conduite à l'endroit où ma meilleure amie était couchée sur une couverture et nous a laissées seules ensemble. Je me suis couchée à ses côtés.

Toute la journée, elle avait été mourante, mais elle n'allait pas partir avant que je sois prête. Remplie d'une immense gratitude du fait qu'elle m'avait attendue pour partager ce moment, j'ai appuyé ma joue sur son cou et, avec ma main doucement posée sur son cœur, j'ai chanté.

Tout naturellement, un simple refrain m'est venu à l'esprit. C'était une chanson d'amour, oubliée depuis longtemps, sur un amour plus grand que le monde.

Nous avions peu de temps, mais j'avais besoin qu'elle sache, ou du moins qu'elle ressente, ma loyauté indéfectible. Une chanson peut atteindre des recoins inaccessibles par les mots ou les gestes. Malgré sa faiblesse, il y avait presque un sourire dans ses yeux.

Son corps s'est ensuite contracté et je savais que c'était la fin. De mes expériences passées avec la mort subite, je m'attendais à une bataille, à une résistance violente face à une fin de vie. La tenant, les yeux fermés, j'ai rassemblé mes forces. J'ai alors ressenti une vague soudaine de bien-être et de réconfort passer au-dessus de nous. Ma peur a disparu. J'étais émerveillée de constater à quel point tout était paisible. Elle est morte juste là, près de moi, dans la douceur de ce moment.

J'ai ouvert les yeux pour ne trouver qu'un corps, inerte et vide. La joie, l'étincelle qui m'avait tant appris, s'était évanouie. Emma n'était plus.

Autrefois, plus jeune et plus amère, j'aurais demandé à Dieu avec colère de se manifester à moi. Mais ce soir, je n'avais pas de colère contre le ciel. Sa réponse, plus parfaite que j'aurais pu l'imaginer, m'a été donnée par ce petit chien. Car c'est la mort douce d'Emma qui m'a libérée de la douleur persistante des tragédies passées. Et c'était sa façon étonnamment sage de vivre qui m'a redonné la vie.

Jennifer Warnes, avec Shawnacy Kiker

Rites de passage

Parmi les moments les plus émouvants que j'ai connus comme vétérinaire, il y a ceux passés avec mes clients qui assistaient mes patients dans leur transition de cette vie vers une autre.

Quand vivre devient un fardeau, que ce soit à cause de la douleur ou de la perte des fonctions normales, je peux aider une famille en veillant à ce que leur animal chéri ait un passage facile. Il est difficile de prendre cette décision finale, et je me suis souvent senti impuissant à réconforter les propriétaires affligés.

C'était avant ma rencontre avec Shane.

On m'a appelé pour examiner un blue heeler de dix ans, Belker, qui avait un sérieux problème de santé. Les propriétaires – Ron, sa femme, Lisa, et leur petit garçon, Shane – étaient tous très attachés à Belker et ils espéraient un miracle. J'ai examiné Belker et découvert qu'elle se mourait du cancer.

J'ai dit à la famille qu'il n'y avait plus de miracle possible pour Belker. J'ai offert de pratiquer l'euthanasie sur le vieux chien à leur maison. Alors qu'on faisait les arrangements, Ron et Lisa m'ont dit qu'il serait peut-être bien que Shane, le petit de quatre ans, soit présent. Ils croyaient qu'il pourrait apprendre de cette expérience.

Le lendemain, j'ai ressenti l'étranglement familier dans ma gorge alors que la famille de Belker l'entourait. Shane paraissait tellement calme en flattant le vieux chien pour la dernière fois que je me suis demandé s'il savait ce qui allait se passer.

En quelques minutes, Belker est parti paisiblement. Le petit garçon semblait accepter la transition de Belker sans difficulté ni confusion. Nous nous sommes assis ensemble pendant un certain temps après le décès de Belker, nous disant combien il était triste que les animaux vivent moins longtemps que les humains.

Shane, qui écoutait silencieusement, se fit entendre: «Je sais pourquoi.»

Étonnés, nous l'avons tous regardé. Ce qu'il a dit ensuite m'a renversé. Jamais je n'avais entendu une explication aussi réconfortante.

Il a dit: «Tout le monde naît afin d'apprendre à mener une bonne vie, comme aimer tout le monde et être gentil, vrai?»

Le petit de quatre ans a poursuivi: «Puisque les animaux savent déjà tout ça, ils n'ont pas besoin de rester aussi longtemps.»

Robin Downing, D.M.V.

Dire adieu

Ce qui me troublait le plus était cette pensée obsédante: *Je n'ai pas pu lui dire adieu.*

J'étais absente pour la fin de semaine. La porte était restée grande ouverte et mes deux bergers croisés blancs, Lucy et Hannah, étaient sortis. Mon mari m'a téléphoné le samedi soir pour me dire que Lucy avait été frappée par une automobile. Elle était vivante, mais ses pattes de derrière étaient très amochées. Les vétérinaires l'avaient mise sous observation et ils décideraient quoi faire lundi. Il m'a dit de ne pas revenir puisqu'il n'y avait rien à faire.

Le lundi matin, j'ai repris la route vers la maison, téléphonant à toutes les quatre heures pour connaître les derniers développements. Dès mon premier appel, j'ai appris qu'ils avaient décidé d'amputer une de ses pattes de derrière. Par la suite, après plusieurs appels inquiets, le bureau du vétérinaire m'a dit que l'opération s'était bien passée et que Lucy reposait calmement. Je savais que je ne pourrais pas arriver à la maison à temps pour la voir le jour même, mais ils m'ont dit que je pourrais venir dès l'ouverture le mardi.

Le mardi matin, je me préparais à quitter la maison quand le téléphone a sonné. C'était le vétérinaire.

«J'ai le regret de vous annoncer que nous l'avons perdue pendant la nuit, a-t-il dit. La nuit dernière, vers deux heures du matin, je suis allé à la clinique pour une urgence, et j'ai fait une visite à votre chienne. Elle cherchait son souffle; je lui ai donc donné des médicaments. Ensuite, je me suis assis avec elle et je l'ai tenue pendant qu'elle mourait.»

Je ne pouvais plus respirer et je me sentais vide à l'intérieur. J'ai raccroché le téléphone et mon mari m'a prise dans ses bras. Pendant qu'il essayait de me réconforter, j'ai pensé:

Oh, Lucy, je suis contente que tu ne sois pas morte seule. As-tu pensé que je t'avais abandonnée? Maintenant que tu es partie, je ne te reverrai plus jamais. J'ai aussi pensé: *Jamais plus!*

Il y avait tout juste deux semaines, une de mes meilleures amies, Sandie, avait été tuée dans un accident de voiture. J'avais reçu un téléphone tout aussi bouleversant, et puis, ce fut le deuil. Elle était partie et je ne la reverrais plus jamais. C'était trop pour mes forces, cela semblait irréel. Cela était aussi irréel que le départ soudain de Lucy dans ma vie.

Mon autre chienne, Hannah, avait vu Lucy se faire frapper. Elle semblait encore confuse et perturbée, cherchant frénétiquement Lucy chaque fois qu'elle sortait. J'ai décidé que nous aurions besoin toutes deux d'une forte dose de réalité. J'ai rappelé le vétérinaire et je lui ai demandé de ne pas disposer du corps de Lucy, que je venais la voir.

Même si je sentais que c'était la chose à faire, j'étais tout de même inquiète. Je n'avais jamais vu un corps mort en face – encore moins le corps d'un être que j'avais connu et aimé. En serais-je capable?

Hannah et moi nous sommes rendues chez le vétérinaire. Je tenais Hannah en laisse en entrant dans la pièce où Lucy reposait. Je ne savais pas à quoi m'attendre, mais la forme inerte étendue sur la table était d'une beauté dévastatrice à mes yeux.

Hannah, distraite par toutes les odeurs intéressantes chez le vétérinaire, avait son gros nez au plancher et n'avait pas pris conscience de la présence de Lucy, jusqu'à ce que je la pousse gentiment près de la petite table à hauteur de taille où était Lucy. La queue de Lucy, ses trois pattes qui restaient et le bout de son nez dépassaient le bord de la table. Au moment où Hannah a senti la queue de Lucy, ses yeux s'agrandirent vraiment. Elle a lentement fait le tour de la table, reniflant chaque pouce de Lucy qu'elle pouvait rejoindre. Quand ce fut fait, elle s'est couchée à mes pieds, a mis sa tête sur ses pattes et a poussé un profond soupir.

J'ai touché à Lucy et ressenti la texture de ses oreilles droites, sa douce fourrure et l'épaisseur de son corps musclé. Elle se ressemblait mais le toucher était différent, froid et un peu plus raide. C'était certainement son corps, mais Lucy était partie. Je me suis surprise moi-même en me penchant pour l'embrasser sur la tête. Des larmes coulaient sur mes joues quand je l'ai quittée avec Hannah.

Hannah a été morose pendant le reste de la journée, sans aucune agitation. Les quelques semaines qui ont suivi, nous l'avons dorlotée; elle a pris plus de marches, reçu plus de gâteries, et nous lui avons permis de dormir sur le divan, un endroit interdit auparavant. Elle semblait s'ajuster et peut-être même aimer son nouveau statut de «chien unique».

Quant à moi, il a été très difficile de perdre Sandie et, si rapidement par la suite, Lucy. Par contre, j'ai finalement pris conscience de la mort en voyant le corps de Lucy. Après, j'ai réagi de façon différente face à mes deuils – Lucy, Sandie, même mon père, vingt ans plus tôt.

À mesure que le temps s'écoulait, je sentais que je guérissais progressivement et que je passais au-delà de la douleur. Hannah m'a réconfortée et je l'ai réconfortée. J'ai aussi été émue par le soutien indéfectible et l'amour de mon mari et de mes amis intimes.

Cela fait trois ans que Sandie et Lucy sont mortes. Je suis étonnée de constater combien je pense souvent à elles. Mais maintenant, c'est toujours avec une tendresse mélancolique et un sourire, la peine étant dissipée depuis longtemps.

Je suis heureuse d'avoir eu le courage d'aller voir Lucy une dernière fois. Elle m'a enseigné comment dire adieu.

Carol Kline

Le dernier Noël de Toto

La veille de Noël, la neige tombait doucement pendant que je faisais la dernière ronde de mes patients. Le vieux chat dormait, fragile dans son manteau blanc duveteux. Il y a quelques jours, sa propriétaire nous l'avait confié pour qu'il passe les fêtes avec nous. Triste, elle s'inquiétait qu'il ne puisse vivre assez longtemps pour l'accueillir au Nouvel An. En effet, après nous avoir confié le chat, je lui ai téléphoné pour lui dire qu'il était mourant. Sa voix étranglée par les sanglots m'a fait savoir qu'elle comprenait. «S'il vous plaît, docteur Foley, pas d'héroïsme. Laissez-le dormir sur ses deux oreilles et donnez-lui le plus de confort possible.»

Son corps fragile était enveloppé de couvertures douces autour d'un coussin chauffant pour le garder au chaud. On lui a offert de la purée de poulet et de thon qu'il a refusée. Et maintenant, il dormait du sommeil le plus profond. Ne voulant pas laisser Toto seul dans cet état en cette veille de Noël, je l'ai déposé dans un grand panier d'osier et je l'ai transporté à la maison.

Une rafale de vent m'a fait échapper la porte en entrant dans la maison. Mon chat, Aloysius, nous a accueillis, alors que l'autre, Daphne, a jeté un coup d'œil timide de son coin de la pièce, reniflant favorablement l'air frais de l'hiver. Ils savaient tous les deux ce que voulait dire un panier d'osier avec un fil électrique qui pendait. Aloysius s'est retiré hautainement de l'autre côté de la pièce.

Aloysius, un chat abandonné qui avait été réchappé par la clinique où je travaillais auparavant, habitait avec moi depuis douze ans – depuis l'école vétérinaire, mon premier emploi et ma première maison. D'autres le considèrent comme un chat ordinaire, mais sa présence a donné de l'équilibre à ma vie. Il écoute tous mes malheurs. Le hic est qu'il est possessif et qu'il a une piètre opinion de tous, félins ou autres, qui empiètent son territoire.

Daphne est venue à moi, chatte timide mais sauvage et féroce. Personne ne pouvait l'apprivoiser. Dix années de patience et de bouchées de rôti de bœuf ont donné des résultats. C'est maintenant une boule ronde et effrontée, et elle m'a donné son cœur. Par contre, pour maintenir la paix au foyer, elle était généralement d'accord avec Aloysius à l'égard des intrus. Devinant son dédain pour le compagnon dans le panier, elle a poliment sifflé de son coin.

«Allons, les gros tyrans, ai-je dit, ce compagnon est âgé et il pourrait nous quitter bientôt. Nous ne voudrions pas qu'il soit seul la veille de Noël, n'est-ce pas?» Ne montrant aucune émotion, ils ont regardé l'arbre de Noël d'un air maussade.

Le vieux Toto dormait dans son panier. Je l'ai installé près de la table de cuisine et j'ai branché le fil du coussin électrique au mur. Mon mari, Jordan, et moi préparions notre dîner de la veille de Noël pendant que Toto dormait, et j'allais vérifier de temps à autre pour m'assurer qu'il était confortable. Daphne et Aloysius éprouvaient encore du ressentiment à l'égard de notre invité mais, excités par l'odeur des steaks grillés, ils se sont faufilés dans la pièce. Je les ai avertis que Toto était vieux et faible et, en bons hôtes, il fallait qu'ils le laissent tranquille. Toto dormait toujours.

Le dîner était prêt. Jordan et moi sommes passés à table. Nous reposant après une longue journée de travail, nous avons commencé à nous taquiner sur les surprises cachées dans les paquets brillants sous l'arbre. Puis, silencieusement, Jordan m'a fait signe de regarder vers Toto dans son panier, et j'ai lentement tourné la tête pour regarder les chats.

Tout d'abord Aloysius, ensuite Daphne derrière lui, se sont approchés du panier lentement et avec précaution. Pendant que Toto reposait, Aloysius s'est assis sur son séant, a regardé dans le panier et a flairé longuement. Lentement, il s'est levé et a marché vers le coin du panier du vieux chat. Il a frotté sa joue contre lui en ronronnant doucement. Daphne l'a suivi, s'est penchée dans le panier et, en flairant la face de Toto, a délicatement mis une patte sur le corps sous la couverture. Ensuite, elle s'est étendue et, en ronronnant, a frotté sa joue sur le panier. Jordan et moi regardions dans un silence étonné. Ces chats n'avaient jamais accepté un autre chat dans la maison auparavant.

Je me suis levée et j'ai marché vers Toto pour le regarder. Les chats étaient toujours de part et d'autre du panier. Toto m'a regardée, a respiré une fois et s'est laissé aller. En le touchant sous la couverture, j'ai senti son cœur arrêter lentement. Les larmes aux yeux, je me suis retournée vers Jordan pour lui faire comprendre que Toto était mort.

Plus tard dans la nuit, j'ai téléphoné à la propriétaire de Toto pour lui dire que son chat était mort confortablement et paisiblement dans notre maison, avec deux chats près de lui, qui lui ont fait de profonds adieux et lui ont souhaité bonne chance à sa dernière veille de Noël.

Janet Foley, D.M.V.

8

BÊTCETERA

… un baiser le matin,
la touche discrète de son nez sur mon visage.
Ses longues moustaches blanches me chatouillent
et je commence chaque journée en riant.

Janet F. Faure

De bons voisins

La vieille maison derrière chez nous était maintenant déserte. Mes voisins, un couple âgé qui y avait vécu pendant des années, étaient morts à moins d'une année d'intervalle. Leurs enfants et petits-enfants s'étaient réunis, avaient pleuré et étaient partis.

Pourtant, un matin, en regardant par la fenêtre de ma cuisine, j'ai vu que nous avions toujours des «voisins». Deux chats blancs avaient emprunté l'escalier arrière de la vieille maison et étaient assis au soleil sur le balcon. Leur fauteuil favori avait été enlevé. Tout avait été emporté. D'aussi loin que ma cuisine, je pouvais voir qu'ils étaient atrocement maigres. Je me suis dit: *Personne ne réclamera ces chats. On les a abandonnés ici et ils meurent de faim. Ils ne quitteront jamais la vieille maison. Ils sont aussi timides que leurs propriétaires.*

Je savais qu'ils n'avaient jamais pénétré dans une maison. Même dans les durs froids d'hiver, ils vivaient dehors. Une fois, la femelle avait mis bas et un chien avait tué les petits. À compter de ce moment, la femelle avait accouché dans le grenier de la maison centenaire. Elle y accédait par un trou dans le toit de tôle. À plusieurs occasions, les chatons étaient tombés entre les murs. Ma voisine m'avait dit: «Il nous a fallu tout l'après-midi, mais nous avons pu récupérer les chatons. Ils seraient morts de faim.»

J'ai poussé un soupir en regardant les chats affamés assis sur la véranda. En dedans de moi, la guerre familière reprenait. Une partie de moi voulait désespérément aider les chats. Une autre partie de moi voulait les ignorer et ne jamais plus revoir les chats affamés. J'étais frustrée. J'étais une mère de quarante ans et je courais toujours après les animaux abandonnés. À vingt-cinq ans, puis à trente et encore plus à trente-cinq, je me disais que mon obsession pour les animaux errants disparaîtrait. Je comprenais maintenant qu'elle avait empiré avec les années.

Dans un autre soupir, j'ai essuyé mes mains sur mon tablier, j'ai pris deux boîtes de nourriture pour chats et je me suis dirigée vers la vieille maison. Les chats se sont cachés sous la véranda en me voyant arriver. J'ai rampé sous la maison montée sur des blocs de béton et je les ai appelés: «Minous, minous, venez.» J'ai vu quatre yeux bridés et luisants me regarder. J'ai compris qu'il me faudrait beaucoup de temps pour apprivoiser *ces* voisins.

Pendant plusieurs mois, j'ai nourri les chats de cette manière. Un jour, la femelle s'est avancée prudemment en ma direction et a frotté sa face contre ma main pendant un bref instant. Puis, prise de peur, elle s'est enfuie. Par contre, depuis ce moment, chaque jour à dix-sept heures, elle venait à ma rencontre à la clôture. L'autre chat se sauvait dans les buissons et attendait que je parte. J'ai conclu que le mâle blanc était probablement le fils de la femelle. Je leur parlais toujours en leur donnant leur nourriture. Je les appelais par les noms que je leur avais donnés: Maman Chat et Frérot.

Un jour que Maman Chat se frottait lentement contre mes jambes, les yeux mi-clos de plaisir, elle a ronronné pour la première fois. Je n'ai pas osé avancer la main pour la flatter, mais mon cœur a flanché pour elle. À compter de ce moment, elle se frottait souvent contre moi et m'a permis de la flatter, même avant qu'elle ne touche à sa nourriture. Frérot me permettait à l'occasion de le toucher, mais il était réticent et se raidissait le corps. Par contre, il acceptait mes gestes d'affection sans jamais s'y abandonner.

Les chats engraissaient. Un jour, j'ai vu Maman Chat sur mon patio. J'ai murmuré: «Maman Chat.» Elle ne s'était jamais encore aventurée dans mon jardin. Mes chats ne l'auraient jamais permis – pourtant, elle était là. «Bravo, Maman», me suis-je dit. Soudain, elle a bondi et, pendant un instant, j'ai cru qu'elle s'était étouffée. Par la suite, j'ai vu qu'elle courait après un objet sur le patio. Pour ce qui semblait la première fois de sa vie, Maman Chat jouait. Je l'ai regardée lancer le gland en l'air et courir après. Mes chats sont venus voir ce qui se passait dans la porte du patio et ont tenté de chasser Maman Chat. Elle les a regardés et a continué à jouer avec son gland au soleil. Selon son habitude, Frérot était assis sur la clôture et attendait le dîner.

Cet été-là, Maman Chat a accouché de nouveaux chatons, dans le grenier. Elle est venue à la porte arrière pour me chercher. L'agent immobilier m'avait donné une clef de la maison déserte en cas d'urgence. Je suis entrée dans la maison avec la chatte et j'ai rampé avec réticence dans le grenier, ignorant de mon mieux les araignées, la poussière, la chaleur et les bruits de ce que j'ai pris pour des souris. J'ai finalement trouvé les trois chatons. Frérot montait la garde. J'ai pris les chatons et j'ai aménagé une boîte pour eux dans la chambre avant de la vieille maison. Maman Chat n'était pas très heureuse de ce déménagement, mais elle les a laissés là, pour l'instant, du moins.

Une semaine plus tard, nous avions de nouveaux voisins! Sans avertissement, une nouvelle famille a emménagé dans la maison. Leur tapage a effrayé Maman Chat qui a ramené ses chatons vers le seul endroit sécuritaire qu'elle connaissait – le grenier, sombre et torride.

J'ai couru me présenter et j'ai raconté l'histoire de Maman Chat à la famille qui venait d'emménager. Ils m'ont permis d'aller dans leur grenier récupérer les chatons. En arrivant, j'ai découvert que Maman Chat les avait cachés ailleurs. Le vieux grenier était un véritable labyrinthe et je n'ai pu les trouver.

J'y suis retournée trois fois, en m'excusant auprès de la famille. En vain. De retour chez moi, je surveillais le toit de tôle de la maison. Je voyais la chaleur s'en dégager. Il devait faire 35 degrés à l'extérieur. Les chatons ne survivraient certainement pas.

Je ne pouvais les oublier. Je sentais qu'il en allait de mon devoir de veiller sur ces chats. Un matin, au lit, j'ai prié: «Seigneur, je te demande de faire sortir ces chatons de ce grenier. Je ne peux les trouver. J'ignore comment tu feras, mais, s'il Te plaît, fais-le. Sans ton intervention, ils vont mourir.» C'était peut-être ridicule. Mais quand on aime les bêtes comme moi, rien n'est ridicule. J'ai sauté du lit et j'ai couru vers la porte arrière, m'attendant presque à voir les chatons. Ils n'y étaient pas. Maman Chat n'était pas là non plus, ni Frérot. Néanmoins, j'attendais toujours les chatons.

Je commençais à craindre d'abuser de la patience de mes voisins. Malgré tout, je voulais retourner une dernière fois chercher les chatons. Lorsque la femme a ouvert la porte et qu'elle a encore une fois entendu ma demande, elle a accepté sans enthousiasme que je retourne au grenier. En arrivant, je les ai entendus miauler!

«Me voilà, me voilà!» ai-je dit, le cœur bondissant de joie.

L'instant d'après, je ne sais trop comment, je me suis sentie tomber. Le plâtre a cédé. Je n'étais plus dans le sombre et torride grenier et mes jambes pendaient dans la cuisine. J'avais oublié de rester sur les chevrons et j'avais défoncé le plafond. Je suis remontée sur les chevrons pour mieux retomber ailleurs.

Ébranlée, je suis descendue. Ma voisine et moi avons constaté les dommages dans la cuisine. J'étais horrifiée. Il était clair que je ne faisais pas bonne impression sur cette femme. Ne sachant que faire, j'ai pris un balai et j'ai commencé à nettoyer. D'autres morceaux de plâtre sont tombés sur nous et la poussière nous a fait tousser. Je me suis excusée à répétition, en disant, confuse, que je ferais réparer le plafond. Je lui ai dit que je reviendrais parler à son mari. Elle m'a fait un petit signe de tête, en silence, les bras croisés, et m'a dévisagée d'un air déconcerté. J'ai couru à la maison, humiliée.

Ce soir-là, quand j'ai raconté mon aventure à ma famille, ils m'ont regardée en silence, tout comme ma nouvelle voisine. J'avais envie de pleurer, en partie à cause du sort des chatons, en partie à cause de ma propre stupidité.

Le lendemain, je suis retournée chez les voisins pour discuter du plafond. Je suis arrivée à l'heure du repas. Les enfants mangeaient avec les parents. Ils m'ont regardée et ont continué à manger. On m'a présentée: «C'est la madame qui monte toujours au grenier et qui, hier, a défoncé le plafond.» Je leur ai souri.

Le mari m'a regardée en mastiquant et a dit gravement: «M'man, donne-moi mon fusil!»

Pendant un instant, mon cœur s'est arrêté. Puis, d'un air gamin, il a souri: «Oubliez ça. Je suis menuisier et il fallait refaire le plafond, de toute manière.»

Je lui ai souri en retour en ajoutant: «Je suis venue vous dire que je ne retournerai plus dans votre grenier, jamais plus.»

«Ça va», dit-il en riant. Il m'a semblé entendre sa femme pousser un soupir.

Le lendemain après-midi, ma famille était au salon en train de lire le journal du dimanche. J'étais la seule à ne pas lire. Je priais derrière ma section de journal.

«Seigneur, la situation est de plus en plus désespérée. Mais je n'ai pas l'intention de retirer ma prière. Donne-moi ces chatons, s'il Te plaît.»

En priant, je voyais les chatons dans un coin sombre du grenier. J'étais presque certaine que Maman Chat les avait déplacés. Puis, j'ai vu une grande main, douce, qui les prenait et les déposait dans un coin frais. J'ai revu cette scène plusieurs fois dans mon esprit, en priant. Soudain, j'ai cru entendre les petits miaulements des chatons.

Je me suis dit: *Idiote! Ton imagination te joue des tours.*

Jerry a déposé la section des sports, les enfants ont levé les yeux de leurs bandes dessinées. Nous avons écouté en silence, retenant notre souffle. «Miaou, miaou, miaou!» Je ne rêvais pas.

La sonnette a retenti et nous nous sommes précipités. Je suis arrivée la première. Notre voisin était là, des fils d'araignée dans les cheveux, les salopettes pleines de poussière, et son sourire espiègle de petit garçon. Nous avons regardé et, dans ses mains, il tenait les chatons.

«Madame, vous n'aurez plus à les chercher. Je les ai trouvés pour vous.»

Cette fois-ci, Maman Chat a laissé sa progéniture là où je l'avais installée, dans notre remise, au bout de l'abri d'auto. Nous avons trouvé un bon foyer pour les chatons, qui avaient engraissé et débordaient de vie. J'ai trouvé une solution permanente au problème du grenier. J'ai fait stériliser Maman Chat.

C'était il y a un an. Frérot, méfiant, est toujours assis sur ma clôture arrière. Il a froid et a souvent faim. Malgré mes efforts répétés, il semble qu'il se méfie toujours de mes bonnes intentions.

Pas Maman Chat. Elle rentre directement dans la cuisine et mange à même les écuelles de mes autres chats. Elle se frotte contre mes jambes quand je la fais entrer. Les soirs de grand froid, elle dort lovée sur une chaise de la cuisine. Souvent, elle s'assoit et me regarde taper à la machine. Au début, mes chats ont ragé, sifflé et grogné. Ils ont fini par laisser tomber et ont accepté Maman Chat.

Aujourd'hui, je souris en regardant la vieille maison. Il est agréable de voir de la lumière dans la cuisine et des jouets d'enfants dans le jardin. Les nouveaux occupants et moi sommes devenus de bons amis. Il est facile de briser la glace quand on a défoncé le plafond!

Marion Bond West

Le chat et le voleur

J'habitais New York depuis des années. Danseuse professionnelle et professeure de danse, c'était l'endroit tout indiqué pour poursuivre ma carrière. La ville a ses bons côtés: les musées, du bon théâtre, de bons restaurants et des magasins réputés. Mais elle a aussi ses mauvais côtés: les prix élevés, les foules, le bruit et le crime.

C'est la criminalité qui m'agaçait le plus. Je suis une femme célibataire et je me sentais particulièrement menacée. Je songeais à l'achat d'un chien pour me protéger. J'avais grandi avec des bergers allemands et les aimais. Mais l'idée de confiner un gros chien dans un petit appartement ne me souriait guère. Ainsi, comme toutes les femmes célibataires de New York, j'ai fait poser quelques verrous à ma porte et je faisais attention dans la rue.

Un jour, je me suis retrouvée sous l'auvent de St. Mark's Place, avec des gens qui s'étaient fait surprendre par une ondée, sans parapluie. Un homme mal habillé, un itinérant au milieu du groupe, a montré un chaton en disant: «Quelqu'un veut-il me donner dix dollars pour ce chat?»

Le chaton était magnifique. Son ventre était couleur fauve, sa queue et son dos brun chocolat, et sa face d'un brun plus sombre avec des moustaches blanches. J'ai immédiatement été intriguée. Pourtant, un chaton n'était pas l'image que je me faisais d'un chien de garde. J'ai réfléchi quelques instants, puis j'ai plongé la main dans mon sac pour y prendre tout l'argent qui y était: sept dollars et quelques sous. Il me fallait un dollar pour le métro. Je lui ai dit: «Six dollars, ça vous irait?»

Il a probablement compris qu'il n'aurait pas de meilleure offre, ou il était si désespéré qu'il aurait accepté n'importe quoi, car nous avons rapidement conclu l'affaire et il est parti.

J'ai nommé ma nouvelle coloc Seal parce que ses moustaches blanches ressemblaient à celles d'un phoque. Elle semblait se plaire dans mon petit appartement et j'appréciais beaucoup sa compagnie.

Deux ans plus tard, j'ai été réveillée en pleine nuit par un grand bruit. Il n'est pas inhabituel d'entendre de grands bruits la nuit à New York, même à deux heures du matin. Je me suis donc retournée et j'ai tenté de me rendormir. Immédiatement, Seal a sauté sur moi et a commencé à me marcher dessus. Elle ne jouait pas et j'ai rapidement compris qu'elle essayait de me dire quelque chose. Elle a sauté du lit et moi aussi. Nous avons avancé à pas feutrés en direction de la cuisine. Je regardais Seal et je me suis arrêtée en même temps qu'elle. En se cachant, elle a avancé la tête dans la porte. J'ai fait de même.

J'ai vu la silhouette d'un homme dans le cadre de la fenêtre défoncée.

Il était dans ma cuisine.

Je me suis retenue de pousser un haut cri typiquement féminin qui montait de ma poitrine. Je me suis forcée à prendre une énorme respiration. En expirant, j'ai imaginé la vedette d'opéra Luciano Pavarotti et un son ressemblant à «WAAAAA» est sorti de moi. Je crois que j'allais dire «Qu'est-ce que vous faites là?» Mais, je n'ai pas eu besoin de terminer ma phrase. Même à mes propres oreilles, ça ressemblait au cri d'un géant et le gars est ressorti par la fenêtre et a rampé comme une mouche humaine le long du mur de brique de la sortie d'air de la cuisine. Il descendit aussi vite que ses jambes de voleur pouvaient le déplacer.

Après cette nuit, je me suis sentie plus en sécurité à New York. Je garde un bâton de baseball près de mon lit et je m'exerce à l'utiliser dans toutes les positions possibles.

Seal et moi formons une équipe. Plus le temps passe, plus je lui fais confiance. Quand j'entends du bruit, je regarde Seal. Si elle semble curieuse ou inquiète, je vais voir. Sinon, je fais comme elle, je l'ignore. Elle m'apporte la sécurité.

Seal est toujours avec moi. Elle a maintenant dix-huit ans et elle est toujours alerte. J'ai maintenant un plus grand appartement et je pense me procurer un berger allemand, mais ce ne serait pas pour ma protection. Seal et moi nous en occupons.

Laya Schaetzel-Hawthorne

La fortune réunie des Carnegie, des Vanderbilt et des Astor ne serait pas suffisante pour acheter un quart de mon petit chien…

Ernest Thompson Seton

Chantons Noëlle

Le bonheur, c'est un chiot chaleureux.

Charles Schulz

L'année de mes dix ans, pour la première fois, toute la famille avait du travail. Papa avait été mis à pied de son travail régulier mais il avait trouvé de menus travaux de peinture et de menuiserie en ville. Maman cousait de jolies robes et faisait des tartes pour les familles aisées.

Quant à moi, après l'école et pendant les week-ends, je travaillais pour Mme Brenner, une voisine qui élevait des cockers épagneuls. J'adorais mon travail, particulièrement prendre soin et nourrir les portées de chiots pleins d'entrain. J'étais fière de donner mes gains à ma mère pour faire ma part, mais je trouvais le travail tellement amusant que je l'aurais fait gratuitement.

En ces temps «difficiles», je me contentais de porter des robes qui venaient des magasins à rabais et des jeans usés. Je disais adieu aux chiots qui partaient pour les maisons aisées sans arrière-pensée. Tout a changé quand la portée de Noël est arrivée. Ces six chiots étaient les derniers avant Noël.

Quand je suis entrée dans la maison afin de les nourrir pour la première fois, mon cœur a fait un bond. Une des petites femelles au pelage roux luisant et aux yeux tristes a agité sa queue et m'a accueillie en bondissant de joie.

« Regarde, a dit Mme Brenner, tu t'es déjà fait une amie. Tu t'occuperas de la nourrir.»

J'ai murmuré «Noëlle» en la serrant sur mon cœur. J'ai immédiatement senti qu'elle était spéciale. Pendant les jours qui ont suivi, il s'est forgé un lien inexplicable entre nous.

Noël approchait. Un soir, au dîner, je racontais pour la centième fois comment Noëlle était spéciale.

«Écoute-moi bien, petite, dit papa en posant sa fourchette. Un jour tu auras peut-être un chien bien à toi. Mais les temps sont durs. Tu sais que j'ai été mis à pied de l'usine. Sans le contrat que j'ai eu ce mois-ci de refaire la cuisine de Mme Brenner, Dieu sait ce que nous serions devenus.»

«Je sais, papa, je sais», murmurai-je. J'avais de la difficulté à regarder son air peiné.

«Tu devras être brave cette année», dit-il en soupirant.

La veille de Noël, il ne restait que Noëlle et un gros mâle. Mme Brenner m'a dit:

«On viendra les chercher tout à l'heure. Je connais la famille qui a adopté Noëlle. Elle ne manquera certainement pas d'amour.»

J'ai pensé: *Personne ne pourra l'aimer autant que moi, personne.*

«Pourrais-tu venir demain matin ? Je vais sevrer de nouveaux chiots le lendemain de Noël. Voudrais-tu laver le plancher à fond et préparer une litière pour la nouvelle portée? De plus, tu serais gentille de nourrir les chiens dans le chenil. La maison sera pleine de monde. Et... demande à ton papa de venir avec toi. Une des portes d'armoires de la cuisine a besoin d'être ajustée. Il a fait du si bon travail que je serai fière de le présenter à mes invités.»

J'ai hoché la tête, en entendant à peine ses paroles. Sans doute que les nouveaux chiots seraient adorables, mais il n'y aurait jamais une autre Noëlle. Penser que quelqu'un d'autre que moi l'élèverait me brisait le cœur.

Le matin de Noël, de retour de l'église, nous avons ouvert nos tristes cadeaux. Maman a paradé le tablier que je lui avais fait en classe d'économie familiale comme si c'était une robe d'un couturier de Paris. Papa s'est extasié sur le bracelet de montre que je lui ai donné. Ce n'était pas du cuir véritable mais il a remplacé son vieux bracelet usé et l'admirait comme s'il était en or. Il m'a donné le livre *Beautiful Joe*. Je les ai embrassés tous les deux. Ils ne se sont pas offert de cadeaux. Quel triste Noël ! Nous faisions semblant d'être heureux.

Après le petit-déjeuner, papa et moi avons changé de vêtements pour aller chez Mme Brenner. Pendant le court trajet, nous avons causé de choses et d'autres, salué les voisins, évitant soigneusement de parler de Noël et des chiots.

Papa m'a fait au revoir de la main et s'est dirigé vers la cuisine de Mme Brenner alors que je suis allée au chenil, dans la cour arrière.

Il y avait un silence étonnant, aucun grognement de chien, aucun jappement ou bruit de papiers froissés. Il y faisait aussi triste que dans mon cœur. Ma tête me disait de faire le ménage mais, dans mon cœur, j'avais envie de m'écraser par terre et de pleurer à chaudes larmes.

Les souvenirs d'enfance sont étranges. Certains événements sont confus, les détails incomplets et les visages flous. Mais je me souviens clairement de mon retour à la maison cet après-midi-là. En entrant dans la cuisine, il y avait une odeur de pot-au-feu qui mijotait sur la cuisinière. Maman a toussoté et a appelé papa qui est soudainement apparu dans la porte de la salle à manger.

D'une voix bizarrement enrouée, il a murmuré : «Joyeux Noël, petite.» Et en souriant, il a déposé Noëlle, portant un ruban rouge, dans mes bras.

L'amour de mes parents et l'amour débordant que je portais à Noëlle se sont mêlés et de mon cœur a surgi une grande fontaine de joie. À ce moment précis, sans aucun doute, ce Noël est devenu le plus beau de ma vie.

Toni Fulco

Le petit mouton de Marty

C'était le temps de l'agnelage. En réponse à un appel des voisins, mon père et moi étions accourus à leur étable pour les aider dans un accouchement difficile. Nous avons trouvé un agneau dont la mère était morte en lui donnant naissance. L'orphelin était faible, avait froid et était toujours enveloppé du placenta. Il marchait sur ses longues jambes vacillantes. Je l'ai enveloppé dans ma veste et l'ai mis dans le camion pour le court trajet de retour vers notre petite ferme en Idaho.

Nous avons traversé la cour de la ferme, passant parmi les vaches, les porcs, les poulets, les chiens et les chats. Papa est allé droit à la maison. Je l'ignorais alors, mais cet agneau devait devenir plus qu'un mouton ordinaire, tout comme je serais plus qu'un autre gamin de sept ans... j'allais devenir sa maman!

Tenant l'agneau dans mes bras, je l'ai apporté dans la cuisine. Pendant que maman et moi l'essuyions avec des serviettes sèches, papa mettait du charbon dans la fournaise pour réchauffer le nouveau-né. Comme je flattais sa petite tête frisée, il s'est mis à téter mon doigt. Il avait faim! Nous avons mis une tétine sur une bouteille de soda contenant du lait chaud et l'avons mise dans sa gueule. Il l'a saisie tout de suite et ses mâchoires tétaient comme une machine et emplissaient son estomac de lait nourrissant.

Dès qu'il a commencé à manger, sa queue s'est mise à battre rapidement. Soudain, ses yeux se sont ouverts pour la première fois et il m'a regardé droit dans les yeux. Il m'a jeté le regard miraculeux de la naissance que toute les mères connaissent. Ce regard qui dit, sans s'y tromper: «Bonjour maman! Je suis à toi, tu es à moi et la vie est belle!»

Un jeune garçon avec une tignasse de cheveux blonds et des lunettes épaisses ne ressemble pas beaucoup à un mouton. Pourtant, ce petit agneau n'en faisait pas de cas. Ce qui lui importait, c'était qu'il avait une maman – et c'était moi!

Je l'ai appelé Henry et, tout comme dans la comptine, il me suivait où que j'aille. Le lien qui s'était formé instantanément la première journée de notre rencontre n'était pas différent de la relation qui se développe entre une mère et son petit. Nous étions toujours ensemble. Je nourrissais Henry, je le faisais courir et je le lavais. Je le grondais sévèrement quand il s'aventurait sur la route. Mes copains de classe ont été très étonnés et enchantés quand ils ont vu deux chiens *et* un agneau m'attendre à l'arrêt d'autobus d'écoliers. Tous les jours après l'école, Henry et moi jouions jusqu'à ce que nous nous endormions, côte à côte dans l'herbe longue et fraîche du pâturage.

Henry a grandi comme moi. Jamais, il n'a oublié que j'étais sa maman. Devenu un mouton adulte, il se collait affectueusement contre moi, frottait sa grosse tête laineuse contre ma jambe chaque fois qu'il me voyait. En tant que tondeuse à gazon à quatre pattes et chien de laine de la ferme des Becker, Henry a mené une belle vie, en santé, jusqu'à la fin de ses jours.

On me demande parfois pourquoi je suis devenu vétérinaire. Je réponds que c'est à cause de Henry. À sept ans, mon amour des animaux n'était qu'une faible lueur. Mais la lueur est devenue une grande flamme au moment magique où je suis devenu la maman d'un petit agneau affamé.

Marty Becker, D.M.V.

Le brise-glace

C'était le site parfait – une superbe maison de rondins sur 20 hectares de terre. Notre mariage était solide et nous avions même un fidèle chien. Il ne nous manquait que des enfants. Pendant des années, nous avions essayé d'en avoir, mais sans succès. C'est ainsi que Al, mon mari, et moi avons fait une demande d'adoption. Nous avons décidé de demander un enfant plus âgé pour des raisons pratiques. Comme nous travaillions tous les deux, nous aurions peut-être des problèmes de gardiennage. Corby, notre épagneul springer, et notre seul «enfant» jusqu'à maintenant, s'avérerait peut-être trop énergique pour un jeune enfant. De plus, novices en la matière, nous étions inquiets d'adopter un bébé. Nous étions prêts à attendre les quelques mois qu'il fallait pour trouver un enfant d'âge scolaire. Pour cette raison, nous avons été renversés quand, quelques semaines plus tard, juste avant Noël, l'agence d'adoption nous a appelés pour nous demander si nous acceptions de prendre Kaleb, un garçon de deux ans et demi, pendant quelques mois. C'était un cas d'urgence et il lui fallait un foyer dans les plus brefs délais.

Ce n'était pas ce dont nous avions discuté si rationnellement quelques semaines plus tôt. Les difficultés étaient si nombreuses – un délai très court, nous avions prévu partir en vacances pendant les Fêtes et, surtout, ce garçon commençait à peine à marcher. Nous avons longuement hésité. À la fin, nous n'avons pas pu dire non.

«Ce n'est que pour quelques mois», m'a assuré mon mari. Nous nous sommes dit que tout s'arrangerait. Mais à l'intérieur de moi, les doutes m'assaillaient.

Le jour de l'arrivée de Kaleb est venu. L'auto s'est arrêtée devant la maison et j'ai vu Kaleb par la fenêtre de la voiture. La réalité m'a frappée de plein fouet et j'ai senti mon estomac se nouer. *Que faisons-nous ? Cet enfant dont nous ne savons rien s'en vient vivre avec nous. Sommes-nous prêts pour cette aventure?* J'ai regardé mon mari et j'ai vu qu'il pensait la même chose que moi.

Nous sommes sortis pour accueillir notre petit invité. Avant même d'atteindre l'enfant, j'ai entendu un bruit derrière moi. En me retournant, j'ai vu Corby dévalant l'escalier en se dirigeant vers le petit garçon. Dans notre hâte, nous avions oublié de verrouiller la porte. J'ai retenu mon souffle. Corby, excitée, allait effrayer Kaleb et pourrait même le jeter par terre. J'ai pensé: *Non! Quelle façon d'entreprendre notre première rencontre! Kaleb aura si peur qu'il refusera d'entrer dans la maison avec nous. Notre affaire est bien mal partie!*

Corby s'est rendue à Kaleb avant que nous puissions l'intercepter. Elle lui a immédiatement sauté dessus et lui a léché le visage dans un grand accès de joie. En retour, le mignon petit garçon l'a prise par le cou et, en se tournant vers nous, il a crié: «C'est à moi, le chien?»

Mes yeux ont croisé ceux de mon mari et nous nous sommes souri. Dès cet instant, notre nervosité a disparu et nous savions que tout irait pour le mieux.

Kaleb était venu pour quelques mois. Huit ans et demi plus tard, il est toujours là. Oui, nous avons adopté Kaleb. Il est devenu notre fils. Quant à Corby, elle ne pouvait être plus heureuse. Finalement, elle était bien le chien de Kaleb.

Diane Williamson

L'héritage

Quand j'étais petit, nous avons toujours eu des chiens boxers. Un jour, papa, qui était un peu macho, est tombé amoureux d'un magnifique doberman noir et feu, un chien d'exposition et de concours. Papa voulait absolument ce magnifique animal. Il l'a donc acheté et emmené à la maison. Il s'appelait Baron. C'était un jeune mâle d'environ onze mois, non stérilisé. Élevé pour des concours, Baron n'avait aucune expérience des enfants. J'avais cinq ans à l'époque, et j'étais le deuxième de quatre enfants. Comme dans la plupart des familles où il y a de jeunes enfants, il y avait toujours beaucoup de bruit et d'activité chez nous. Mes parents se sont dit que Baron était encore jeune et qu'il finirait par s'adapter à sa nouvelle vie.

Un jour, quelque temps après que papa ait ramené Baron à la maison, je suis rentré en courant de dehors, emmitouflé dans mon habit de neige. Je n'ai pas vu Baron qui dormait sur le plancher et lui ai marché dessus. Les dobermans ont des réactions extrêmement rapides, une des raisons qui en font de si bons chiens de garde ou policiers. Cette fois-ci, sa réaction a créé un désastre. Baron a sursauté et, dans sa peur, il m'a sauté au visage. Ses crocs supérieurs ont traversé ma joue gauche et ma lèvre supérieure, juste sous le nez, et ses crocs inférieurs ont attrapé mon menton. Mes parents m'ont conduit d'urgence à l'hôpital où on a immédiatement entrepris une chirurgie de reconstruction. À mon retour à la maison, suturé et enveloppé de bandages, ils m'ont mis au lit sans tarder.

Lorsque papa est venu me voir un peu plus tard, il s'est arrêté net devant ma porte, étonné par la scène qu'il a découverte. Baron était entré furtivement dans ma chambre. Le chien avait glissé son museau sous mon coude et, en poursuivant sa manœuvre, il avait réussi à faire glisser mon bras sur son épaule. Il avait déposé sa grosse tête noire sur ma poitrine. Il restait assis, immobile comme une statue. En me surveillant et en me protégeant, il menait une vigile d'excuse et d'amour. Papa m'a raconté que Baron n'a jamais bougé et qu'il est resté dans la même position toute la nuit.

Étonnamment, je n'ai pas été défiguré par cette aventure avec Baron. Et je n'ai pas eu peur des chiens, comme c'est souvent le cas. Quand je pense à Baron, je ne pense pas à sa férocité. Je me souviens bien plus du poids de sa tête sur ma poitrine et de l'inquiétude dans ses grands yeux expressifs. Avant même l'incident, je voulais devenir vétérinaire. Mon amour des bêtes a augmenté après avoir vu Baron exprimer son chagrin. Aujourd'hui encore, je souris intérieurement chaque fois que je traite un doberman.

L'histoire de Baron est entrée dans la légende familiale. Ma mère a sauvé un doberman adulte et l'a gardé jusqu'à sa mort. Bien sûr, elle l'a baptisé Baron. Ma sœur cadette a deux dobermans dont un s'appelle justement Baron.

Mon Baron était un merveilleux chien qui s'est trouvé au mauvais endroit au mauvais moment. Nous lui avons trouvé un foyer où il n'y avait pas d'enfants et il y a vécu heureux et aimé pour le reste de ses jours.

Jeff Werber, D.M.V.

La vérité sur Annie

Nous avons adopté Taco, un perroquet amazone aux ailes orange, pour le sauver. Taco avait commencé à s'arracher les plumes. Il se déplumait le dos avec une telle violence qu'il en était devenu malade. Son propriétaire n'ayant pas les moyens de le faire soigner, nous avons donc accepté de le prendre chez nous. Nous l'avons recueilli chez le vétérinaire après ses adieux à son propriétaire.

La recette pour un beau plumage et un oiseau en santé consiste en une bonne alimentation et beaucoup d'amour. Nous avons mis Taco au même régime que nos autres oiseaux et, quelques jours plus tard, il a cessé de s'intéresser à son dos et a commencé à jouer avec les jouets de bois de sa cage.

À la fin de la première semaine, il s'était pleinement adapté à sa nourriture, à sa cage et à ses voisins, Gideon, un amazone à tête jaune, et Tutt, un amazone mexicain à tête rouge. Taco s'adaptait bien aux manipulations constantes, aux bains et aux paroles qu'il entendait.

Après deux semaines, Taco se comportait comme un véritable amazone, à une exception près: il ne parlait pas. Il n'émettait pas le moindre son. C'est très inhabituel chez un amazone.

La plupart des perroquets imitent les sons qui les entourent: le miaulement d'un chat, une porte qui grince et, selon l'espèce, même une phrase complète. Taco ne sifflait pas et ne couinait pas. Il était complètement silencieux. J'ai décidé d'attendre une autre semaine avant de le ramener chez le vétérinaire pour un examen plus approfondi.

Le vendredi matin, c'est jour de bain et de nettoyage des cages chez nous. Ce vendredi-là, j'ai pensé que Taco était prêt pour son premier bain communautaire. J'ai ouvert la cage et y ai mis la main. Il est monté sur mon doigt. Je l'ai levé à hauteur d'yeux et je lui ai dit:

«Taco, quand te décideras-tu à parler?»

Il a incliné la tête d'un côté, gonflé ses plumes et dit: «Annie est morte. Pauvre Annie. Annie saigne.»

Quel choc! J'étais bouche bée. Je me souviens que j'avais la chair de poule.

J'ai rapidement terminé les bains et le nettoyage des cages et j'ai finalement appelé notre vétérinaire pour lui demander le numéro de l'ancien propriétaire de Taco. Je voulais savoir qui était Annie. Taco avait-il été témoin d'un crime? Un membre de la famille était-il mort? Il faisait peut-être allusion à un autre animal de son ancien foyer.

J'ai appelé le dernier propriétaire de Taco et je lui ai raconté ce que Taco avait dit. Elle a répondu qu'elle ne l'avait jamais entendu dire cela ni rien d'autre au cours des quatre années qu'elle l'avait eu chez elle. Elle ne connaissait personne du nom d'Annie. Elle m'a donné le numéro de téléphone de la personne de qui elle avait acheté Taco.

Une brève conversation avec ce propriétaire m'a clairement appris qu'il n'avait jamais entendu Taco dire un seul mot pendant tout le temps qu'il avait été chez lui. C'était d'ailleurs une des raisons qui l'avaient amené à le vendre. Il voulait un perroquet qui parle. Il avait acheté Taco d'un éleveur près de Chico, en Californie, mais il ne se souvenait pas de son nom. Il semblait que j'étais dans un cul-de-sac.

Taco devenait de plus en plus loquace et il ajoutait des détails à son histoire sur Annie. «Annie est morte. Annie est morte. Pauvre Annie, elle saigne. Oh! Pauvre Annie.»

La présidente de notre club d'ornithologie m'a donné les noms et numéros de téléphone de quelques éleveurs dans la région d'origine de Taco. Mes appels ne donnaient aucun résultat, mais je persistais. Je voulais connaître la fin de cette histoire.

Mon mari m'a suggéré d'appeler la bibliothèque de Chico et de consulter la chronique nécrologique du journal local pendant la période où Taco y avait vécu. La bibliothécaire était intriguée par l'histoire de Taco et m'a beaucoup aidée. Elle m'a dit qu'elle s'informerait auprès de son frère qui était policier et lui demanderait de vérifier les dossiers de police.

Après deux jours, la bibliothécaire n'avait pas encore rappelé. Taco avait tellement répété son histoire que nos deux gris d'Afrique, Jack et Jill, répétaient sans cesse: «Pauvre Annie».

Stimulée par le chœur des «Pauvre Annie», j'ai décidé de rappeler la bibliothécaire. Elle a décroché rapidement. «Avez-vous trouvé quelque chose?» lui ai-je demandé.

«Non, je regrette, répondit-elle. Mon frère est retourné quinze ans en arrière dans les archives de police et n'a rien trouvé non plus.» Elle a soupiré et demandé: «Êtes-vous certaine que l'oiseau dit bien "Annie"?»

Je lui ai répondu que c'était la seule chose dont j'étais certaine. Je l'ai remerciée et j'ai raccroché.

J'étais convaincue que Taco avait entendu parler d'Annie quelque part. Les oiseaux n'inventent pas de paroles. Pour une raison quelconque, l'histoire d'Annie lui était restée en mémoire. Je commençais à me faire une raison et à accepter de ne jamais rien savoir de plus sur Annie ni sur ce qui lui était arrivé.

Deux mois ont passé. Taco continuait d'engraisser et devenait de plus en plus affectueux. Son plumage était devenu d'un vert éclatant et ses yeux étaient brillants. Son dos était maintenant totalement guéri. Et il parlait toujours d'Annie, du matin au soir. Nous n'avions plus la chair de poule. Nous avons simplement accepté ce qui était arrivé à la pauvre Annie.

Un soir, je recevais à mon tour les membres de notre club d'ornithologie. Café et biscuits étaient servis à l'arrivée des invités. Nous avons pris place dans le salon, non loin de la salle des oiseaux, et nous avons discuté de notre prochaine campagne de financement.

Soudain, une voix forte et nette s'est fait entendre.

«Pauvre Annie. Annie est morte. Annie saigne. Pauvre Annie.»

Surpris, nous nous sommes tus et nous avons écouté. Une des membres de notre club s'est tournée vers moi et a dit:

«Je ne savais pas que tu écoutais les feuilletons!»

«Pas du tout. De quoi parles-tu?» ai-je répondu.

«Annie», dit-elle. «Elle est morte. Je crois que c'est Robert qui l'a tuée.»

«Non, a rétorqué une autre membre. Ce n'est pas Robert, c'est James. Tu ne te souviens pas? Il a eu une aventure avec la voisine de la sœur d'Annie…»

J'ai laissé mes copines discuter de leurs feuilletons favoris et je me suis rendue à la cage de Taco. Je comprenais maintenant qu'un de ses anciens propriétaires écoutait ce feuilleton et Taco l'avait entendu.

Taco a penché la tête, m'a regardée et a dit distinctement: «Taco a-t-il faim? Veux-tu que je te gratte la tête?» Le mystère d'Annie maintenant résolu, il était prêt à passer à autre chose.

Aujourd'hui, Taco a une compagne, une autre amazone aux ailes orange qui s'appelle Bell. Quand ils ont eu leur premier petit, nous n'avons pu résister et l'avons nommée... Annie.

Judy Doyle

Ne réveillez pas le chien qui dort

Un après-midi, alors que j'étendais la lessive dans la cour arrière, un vieux chien, l'air épuisé, est arrivé. À son collier et son ventre bien rond, j'ai vu qu'il avait un foyer.

Pourtant, quand je suis rentrée à la maison, il m'a suivie, s'en est allé d'un pas tranquille dans le corridor et s'est endormi dans un coin. Une heure plus tard, il a demandé la porte et je l'ai laissé sortir. Le lendemain, il était de retour. Il a repris sa place dans le corridor et a dormi pendant une heure.

Le manège a duré plusieurs semaines. Curieuse, j'ai épinglé une note à son collier:

«Tous les après-midi, votre chien vient faire une sieste chez moi.»

Le lendemain, le chien était de retour avec une note différente attachée à son collier:

«Il vit dans une famille de dix enfants. Il essaie seulement de rattraper un peu de sommeil.»

Susan F. Roman

Le salaire du vétérinaire

En tant que vétérinaire, une des choses que nous devons accepter, c'est que la plupart de nos patients ne comprennent pas ce que nous faisons pour eux. Qu'il s'agisse de vaccins de routine ou de soins d'urgence, la plupart d'entre eux ressentent une impression de crainte et d'inconfort lors de leurs visites chez le vétérinaire.

En rétrospective, je me souviens d'un grand nombre d'animaux, gros et petits, à qui j'ai sauvé la vie ou que j'ai soulagé d'une maladie grave ou d'une blessure douloureuse. La plupart d'entre eux n'hésiteraient pas à mordre, ruer ou encorner leur bienfaiteur s'ils en avaient l'occasion. Bien sûr, certains d'entre eux semblent comprendre que nous les aidons. Par contre, il est rare qu'un animal en vienne à vous faire totalement confiance et à vous témoigner clairement sa gratitude pour vos efforts.

Il y a plusieurs années, par un chaud après-midi d'automne, un vieux fermier m'a apporté son labrador noir blessé. Le fermier fauchait les mauvaises herbes avec son tracteur et le chien s'était retrouvé devant la faucille. Le temps que le fermier arrête sa machine, le chien s'est trouvé pris dans la faucille et une de ses pattes arrière était sérieusement blessée.

Nous l'avons pris du camion du fermier et l'avons étendu sur une table d'examen dans la clinique. Déjà affaibli par le choc et la perte de sang, il léchait pourtant calmement sa patte blessée.

L'examen a confirmé qu'on ne pourrait sauver sa patte. J'ai expliqué à son propriétaire qu'on devrait amputer la patte pour sauver la vie du chien. Il nous a donné l'autorisation de faire le nécessaire. J'ai fait une transfusion sanguine à la bête et des injections contre la douleur et le choc, et j'ai prévu l'amputation pour le lendemain matin. Il est resté calme pendant les traitements, sans le moindre gémissement ou la moindre manifestation d'émotion.

Il a bien réagi à l'opération et, le lendemain, déjà il sautillait sur trois pattes. Les matins suivants, je l'ai sorti pour faire de courtes promenades sur la pelouse de la clinique et je l'aidais à garder son équilibre au besoin. C'était un patient idéal qui semblait toujours apprécier mon aide. Plus tard, quand j'ai retiré ses points, il m'a regardé faire, placide, sans se plaindre, et je n'ai pas eu à lui mettre une muselière.

Je croyais qu'il avait été un bon patient, pas différent des autres chiens que j'avais soignés, jusqu'au jour où il dut retourner à la maison. Après l'avoir installé dans la camionnette de son propriétaire, j'ai parlé quelque temps avec le fermier de la condition du chien. Comme je m'en retournais à la clinique, Blackie s'est mis à pleurnicher et a tenté de descendre du camion pour me suivre.

Son propriétaire, M. Burson, a dit: «Vous savez, je crois qu'il vous aime beaucoup et qu'il veut rester avec vous.»

J'étais étonné et, pourtant, j'ai simplement répondu: «Ça m'en a bien l'air. Par contre, de retour à la maison, il m'oubliera rapidement.» Je savais que le chien serait bien traité; M. Burson était un homme bon qui s'occupait bien de ses bêtes.

Environ un an plus tard, j'ai été demandé à la ferme Burson pour la naissance d'un veau. J'avais garé mon camion et j'avais commencé à décharger mon attirail quand un gros chien noir est arrivé en courant de derrière la grange. Il a jappé fort et ses poils se sont dressés sur son cou et son dos. C'était Blackie. Il arrivait sur moi en courant sur ses trois pattes. Soudain, il s'est arrêté net, à deux mètres de moi.

En me fixant, Blackie a avancé lentement vers moi en remuant la queue. Puis, il a pris une de mes mains dans sa gueule en ne me quittant pas des yeux. En ce faisant, il émettait de faibles petits cris.

Décontenancé, j'ai eu la gorge serrée. Je lui ai caressé la tête et je lui ai parlé doucement. Il m'a regardé tendrement une dernière fois, a émis un jappement de salutations et s'est rapidement mis à inspecter les pneus de ma camionnette.

Parmi la longue liste d'animaux qu'un vétérinaire traite au cours de sa carrière, quelques-uns seulement se distinguent. Pour moi, Blackie sera toujours «celui qui s'est souvenu».

George Baker, D.M.V.

À propos des auteurs

Jack Canfield

Jack Canfield a grandi entouré d'animaux de toutes sortes. Il y avait toujours au moins un chien – le plus souvent des colleys et des bergers allemands, et parfois un bâtard – deux ou trois chats et des hamsters, des gerbilles, des lapins, des perroquets, des souris blanches, des tortues, des poissons tropicaux, des ratons laveurs, un cheval, une vache, une chèvre, et éventuellement un chenil rempli de lévriers afghans. Cet amour des animaux lui a valu une vie adulte entourée de chiens merveilleux – un samoyède, un berger anglais, un retriever – ainsi qu'un nombre de chats trop grand pour les compter, qui sont tous devenus des membres de la famille jouissant d'un libre accès à la maison. Présentement, Jack est l'heureux propriétaire d'un retriever, Daisy, de trois chats (Bodhi, Ashleigh et Rocky) et d'un étang rempli de magnifiques kois et poissons rouges.

Jack Canfield est l'un des plus grands spécialistes américains du développement du potentiel humain et du rendement personnel. Il est à la fois un conférencier dynamique et amusant, et un formateur très en demande. Jack possède un talent extraordinaire pour informer et amener son auditoire vers une meilleure estime de soi et un rendement optimal.

Il est l'auteur et le narrateur de nombreuses audiocassettes et vidéocassettes à grand succès, dont *Self-Esteem and Peak Performance, How to Build High Self-Esteem, Self-Esteem in the Classroom* et *Bouillon de poulet pour l'âme* – enregistré devant un auditoire. On le voit régulièrement à la télévision dans des émissions comme

Good Morning America, 20/20 et *NBC Nightly News.* Jack est coauteur de nombreux livres, dont la série *Bouillon de poulet pour l'âme, Dare to Win* et *The Aladdin Factor* (tous avec Mark Victor Hansen), *100 Ways to Build Self-Concept in the Classroom* (avec Harold C. Wells) et *Heart at Work* (avec Jacqueline Miller).

Jack est très souvent le conférencier invité auprès d'associations de professionnels, d'écoles, d'agences gouvernementales, d'églises, d'hôpitaux, d'équipes de vente et de sociétés corporatives.

Mark Victor Hansen

Mark Victor Hansen est un conférencier professionnel qui, depuis les vingt dernières années, a donné plus de 4 000 conférences à plus de deux millions de personnes dans trente-deux pays. Dans ses exposés, il parle de stratégie de vente et d'excellence; de la croissance personnelle et de l'art de se prendre en main; et comment tripler ses revenus tout en doublant son temps de loisirs.

Toute sa vie, Mark s'est donné pour mission de changer profondément et positivement la vie des gens. Pendant toute sa carrière, il a inspiré des milliers de personnes à se bâtir un avenir plus solide et plus significatif pour eux-mêmes, tout en incitant la vente de biens et services pour des milliards de dollars.

Mark est un auteur prolifique. Il a écrit les livres *Future Diary, How to Achieve Total Prosperity* et *The Miracle of Tithing.* Il est coauteur de la série *Bouillon de poulet pour l'âme, Dare to Win* et *The Aladdin Factor* (tous avec Jack Canfield) et *The Master Motivator* (avec Joe Batten).

Mark a également produit une bibliothèque complète d'audiocassettes et de vidéocassettes sur l'émancipation personnelle, qui ont permis à ses auditeurs de reconnaître et d'utiliser leurs aptitudes innées dans leur vie professionnelle et personnelle. Son message a fait de lui une personnalité populaire de la télévision et de la radio. Il a participé à des émissions sur ABC, NBC, CBS, HBO, PBS et CNN. Il a aussi été photographié en page couverture de nombreux magazines, dont *Success, Entrepreneur* et *Changes.*

Enfant, Mark n'avait qu'un chien. Il ne savait pas alors que son cœur et sa maison deviendraient éventuellement le *home* de quarante-six animaux qui logent présentement chez les Hansen. On y compte quatre chats, trois chiens, deux oiseaux, deux chevaux, plusieurs poissons rouges, un lapin, un canard qui se prend pour un poulet, et vingt-cinq poulets qui ont tous un nom.

Mark est un grand homme avec un cœur et un esprit à sa mesure. Il est une inspiration pour tous ceux qui cherchent à s'améliorer.

Marty Becker

Dr Marty Becker est pour les animaux de compagnie ce que Jacques-Yves Cousteau a été pour les océans et Carl Sagan pour l'espace.

En tant que vétérinaire, auteur réputé, professeur d'université, personnalité médiatique, porte-parole de l'industrie, conférencier professionnel et amoureux des bêtes, le Dr Becker est l'un des médecins d'animaux familiers les plus reconnus au monde. Il est l'un des défenseurs les plus visibles et les plus articulés du lien famille-bête (Le Lien) – il a inventé le terme. Dr Becker possède un don mystérieux pour créer des liens qui transcendent le lieu, les cultures et les espèces.

Au cours de ses dix-huit années d'une carrière aux multiples facettes, Dr Becker a été à l'avant-garde du changement en ce qui a trait à l'interaction et à notre façon de prendre nos responsabilités envers nos bêtes. Dr Becker est l'auteur du livre à succès *Becoming Your Dog's Best Friend.* Il est aussi rédacteur en chef du *Veterinary Economics Magazine*, chroniqueur vedette du magazine *PetLife* et porte-parole national pour les cartes de souhait Hallmark's Pet Love. En plus d'enseigner dans presque tous les établissements d'enseignement vétérinaire en Amérique du Nord, il est un invité très populaire d'émissions télévisées sur les grandes chaînes et sur le câble.

Dr Becker est un communicateur inspiré, amusant et dynamique. Il a mis beaucoup d'enthousiasme à promouvoir sans relâche les immenses bienfaits sur la qualité de vie des bêtes et des gens qui vivent en harmonie et en interdépendance. Dr Becker a connu un succès mondial lors de ses rencontres, grâce à son engageante présence sur scène, ses excellents talents de communicateur et son attitude diligente. Il prépare et donne des exposés personnalisés sur des thèmes précis, des séminaires et des cours de formation pour des organismes civiques, des groupes de professionnels de la santé, des universités et des industries. Les thèmes de ses conférences sont variés : la relation entre l'humain et son animal, la santé optimale, l'estime de soi, l'émancipation personnelle, et les questions touchant le travail d'équipe et le leadership.

Carol Kline

Carol Kline a été une amie des bêtes toute sa vie. Elle est codirectrice du Noah's Ark Animal Foundation Dog Rescue Program, à Fairfield, Iowa, une initiative bénévole pour sauver des chiens perdus, errants ou abandonnés.

Carol consacre plusieurs heures chaque semaine à surveiller le sort des animaux amenés à la fourrière. De plus, elle promène, nourrit et «socialise» les chiens de Noah's Ark, un refuge sans cage pour chiens et chats. «La gratitude et l'amour que j'ai reçus de ces animaux sont plus valorisants que tout salaire. Mon bénévolat auprès des chiens comble mon cœur et apporte beaucoup de joie dans ma vie.»

Le fait d'avoir été coauteure de *Bouillon de poulet pour l'âme de l'ami des bêtes* a renforcé son amour pour les animaux et a appronfondi son engagement à sauver des bêtes.

Rédactrice à la pige depuis dix ans, Carol détient un bac en littérature. Elle a écrit pour des journaux, des bulletins et d'autres publications. Récemment, elle a contribué à des histoires et a mis son talent de réviseure au service d'autres livres de la série *Bouillon de poulet pour l'âme.*

En plus d'écrire et de s'occuper des bêtes, Carol est aussi conférencière, animatrice en estime de soi et professeure certifiée du programme de compétences parentales, *Redirecting Children's Behavior* (RCB). Premier professeur de RCB en Iowa, Carol organise des ateliers et des programmes de formation continue pour les travailleurs sociaux s'occupant des enfants. Elle donne aussi un cours de cinq semaines destiné aux parents. Elle a été conseillère dans un camp d'estime de soi au Missouri, pour les adolescents et les enfants. Depuis 1975, Carol donne des cours de gestion du stress destinés au grand public. Depuis 1990, après avoir étudié avec Jack Canfield, elle agit comme animatrice à son programme annuel *Train the Trainers*. Son style dynamique et engageant lui a valu un accueil enthousiaste de ses nombreux auditeurs.

Carol a le bonheur d'être la femme de Larry Kline et est la belle-mère de Lorin et McKenna. En plus de sa chienne, Hannah, Carol héberge des chiens en attente d'un foyer permanent.

Autorisations

Nous aimerions remercier les éditeurs et les personnes qui nous ont autorisés à reproduire leurs histoires. (Note: les histoires qui sont rédigées de façon anonyme, qui sont du domaine public ou qui ont été écrites par Jack Canfield, Mark Victor Hansen, Marty Becker ou Carol Kline ne sont pas incluses dans cette liste.)

Un cadeau posthume. Reproduit avec l'autorisation de Cathy Miller. © 1997 Cathy Miller.

Becky et le loup et *Un ange différent.* Reproduit avec l'autorisation de Penny Porter. © 1997 Penny Porter.

Des amis. Reproduit avec l'autorisation de Karen Del Tufo. © 1997 Karen Del Tufo.

Le chagrin de Boule de Neige. Reproduit avec l'autorisation de Bonnie Compton Hanson. © 1997 Bonnie Compton Hanson.

Droit au cœur. Reproduit avec l'autorisation de Susan Race. © 1997 Susan Race.

Trouver sa place et *Le chien de guerre.* Reproduit avec l'autorisation de Joe Kirkup. © 1997 Joe Kirkup.

Le sans-logis innocent. Reproduit avec l'autorisation de Lori S. Mohr. © 1997 Lori S. Mohr.

La place de Pepper. Reproduit avec l'autorisation de Dawn Uittenbogaard. © 1997 Dawn Uittenbogaard.

Le petit chien perdu. «A Long, Long Way» par Donna Chaney, janvier 1983, paru dans *Positive Living Magazine* sous le titre «Little Dog Lost», novembre/décembre 1997. Reproduit avec l'autorisation du magazine *Guideposts.* © 1982 Guideposts, Carmel, NY 10512.

Le cadeau de Subira. Reproduit avec l'autorisation de l'éditeur de Health Communications, Inc., Deerfield Beach, Floride, de *Taste-Berry Tales* par Bettie B. Youngs, Ph.D., Ed.D. © 1997 Bettie B. Youngs, Ph.D., Ed.D.

Les plaisirs de la course. Reproduit avec l'autorisation de W.W. Meade. © 1997 W.W. Meade. Une version de cette histoire a été publiée antérieurement dans le *Reader's Digest.*

La vedette du rodéo. Reproduit avec l'autorisation de Larry Paul Kline. © 1997 Larry Paul Kline.

La leçon de vie des inséparables. Reproduit avec l'autorisation de Vickie Lynne Agee. © 1997 Vickie Lynne Agee.

Le don du courage. Reproduit avec l'autorisation de Roxanne Willems Snopek Raht. © 1997 Roxanne Willems Snopek Raht.

Thérapie à dos de cheval. Reproduit avec l'autorisation de Bill Holton. © 1997 Bill Holton. Extrait du *Woman's World Magazine.*

Le chaton magique. Reproduit avec l'autorisation de Lynn A. Kerman. © 1997 Lynn A. Kerman.

Les belles années. Reproduit avec l'autorisation de Yvonne A. Martell. © 1997 Yvonne A. Martell.

Nager avec les dauphins. Reproduit avec l'autorisation de Roberta (Rusty) VanSickle. © 1997 Roberta (Rusty) VanSickle.

Il y a un écureuil dans mon café! Reproduit avec l'autorisation de Bill Goss. © 1997 Bill Goss.

Bien trouvé m'appartient. Reproduit avec l'autorisation de Leona Campbell. © 1997 Leona Campbell.

Voir. Reproduit avec l'autorisation de Kathe Neyer. © 1997 Kathe Neyer.

Un véritable charmeur. Reproduit avec l'autorisation de Lynne Zielinski. © 1997 Lynne Zielinski.

Socks. Reproduit avec l'autorisation de Steve Smith. © 1997 Steve Smith.

Jenny et Brucie. Reproduit avec l'autorisation de Cerie L. Couture, D.M.V. © 1997 Cerie L. Couture.

Dix minutes de plus. Reproduit avec l'autorisation de Mary Marcdante. © 1997 Mary Marcdante.

Le langage des chevaux. Reproduit avec l'autorisation de Monty Roberts. © 1997 Monty Roberts.

Chanceux d'être en vie. Reproduit avec l'autorisation de Christine E. Belleris. © 1997 Christine E. Belleris.

Tiny et le chêne. Reproduit avec l'autorisation de Dennis K. McIntosh, D.M.V. © 1997 Dennis K. McIntosh, D.M.V.

Le Capitaine. Reproduit avec l'autorisation de David Sykes. © 1997 David Sykes.

La femme qui prenait les poulets sous son aile. Reproduit avec l'autorisation de Earl Holliman. © 1997 Earl Holliman.

Les miracles existent. Reproduit avec l'autorisation de Paul H. King, D.M.V. © 1997 Paul H. King, D.M.V.

Darlene. Reproduit avec l'autorisation de Sara (Robinson) Mark, D.M.V. © 1997 Sara (Robinson) Mark, D.M.V.

Le petit chien dont personne ne voulait. Reproduit avec l'autorisation de Jan K. Stewart Bass. © 1997 Jan K. Stewart Bass.

Doctola. Reproduit avec l'autorisation de Herbert J. Rebhan, D.M.V. © 1997 Herbert J. Rebhan, D.M.V.

L'amour d'une mère. Reproduit avec l'autorisation de David Giannelli. © 1997 David Giannelli.

Les yeux de Tex. Reproduit avec l'autorisation de Mrs. Honzie L. Rodgers. © 1997 Honzie L. Rodgers.

La souris de Noël. Reproduit avec l'autorisation de Diane M. Smith. © 1997 Diane M. Smith.

Simon. Tiré de *Two Perfectly Marvellous Cats: A True Story,* par Rosamond M. Young. Reproduit avec l'autorisation de J.N. Townsend Publishing. © 1996 J.N. Townsend Publishing.

L'affreux toutou. Reproduit avec l'autorisation de Angel Di Benedetto. © 1997 Angel Di Benedetto.

Les Babillards anonymes. Reproduit avec l'autorisation de Kathleen M. Muldoon. © 1997 Kathleen M. Muldoon.

Le chien endommagé. Reproduit avec l'autorisation de Roma Ihnatowycz. © 1997 Roma Ihnatowycz.

Le chat français. Reproduit avec l'autorisation de Jean Brody. © 1997 Jean Brody.

Barney. Reproduit avec l'autorisation de Gregg Bassett. © 1997 Gregg Bassett.

Gardienne de souris. Reproduit avec l'autorisation de Faith McNulty. © 1997 Faith McNulty.

Le chat et le grizzly. Reproduit avec l'autorisation de Dave Siddon et Jane Martin. © 1997 Dave Siddon et Jane Martin.

À toi pour toujours, Rocky. Reproduit avec l'autorisation de S.C. Edwards. © 1997 S.C. Edwards.

Cœur à cœur. Reproduit avec l'autorisation de Carolyn Butler, M.S. et Laurel Lagoni, M.S. © 1997 Carolyn Butler, M.S. et Laurel Lagoni, M.S.

Ce déguisement de chien ne trompe personne. Reproduit avec l'autorisation de Jennifer Warnes et Shawnacy Kiker. © 1997 Jennifer Warnes et Shawnacy Kiker.

Rites de passage. Reproduit avec l'autorisation de Robin Downing, D.M.V. © 1997 Robin Downing, D.M.V.

Le dernier Noël de Toto. Reproduit avec l'autorisation de Janet Foley, D.M.V. © 1997 Janet Foley, D.M.V.

De bons voisins. Reproduit avec l'autorisation de Marion Bond West. © 1997 Marion Bond West.

Le chat et le voleur. Reproduit avec l'autorisation de Laya Schaetzel-Hawthorne. © 1997 Laya Schaetzel-Hawthorne.

Chantons Noëlle. Reproduit avec l'autorisation de Toni Fulco. © 1997 Toni Fulco.

Le brise-glace. Reproduit avec l'autorisation de Diane Williamson. © 1997 Diane Williamson.

Ne réveillez pas le chien qui dort. Reproduit avec l'autorisation de Susan F. Roman. © 1997 Susan F. Roman.

L'héritage. Reproduit avec l'autorisation de Jeff Werber, D.M.V. © 1997 Jeff Werber, D.M.V.

La vérité sur Annie. Reproduit avec l'autorisation de Judy Doyle. © 1997 Judy Doyle.

Le salaire du vétérinaire. Reproduit avec l'autorisation de George Baker, D.M.V. © 1997 George Baker, D.M.V.

Un 1er bol de Bouillon de poulet pour l'âme

À la fois émouvantes et stimulantes, pleines d'humour et de sagesse, ces «perles», tirées du vécu de nombreuses personnes, constituent un rappel aux valeurs essentielles : amour, amitié, gratitude, compassion. Que l'on veuille encourager un ami, instruire un enfant, ou illustrer une idée, on trouvera toujours une histoire appropriée dans ce trésor de sagesse.

FORMAT 15 X 23 CM, 288 PAGES, ISBN 2-89092-212-X
AUTEURS: MARK VICTOR HANSEN ET JACK CANFIELD

Un 2e bol de Bouillon de poulet pour l'âme

Les best-sellers américains de la série **Bouillon de poulet pour l'âme** *(Chicken Soup for the Soul)* ont capté l'imagination de plusieurs millions de lecteurs par leurs réjouissants messages d'espoir et d'inspiration. Partagez la magie qui changera à jamais votre façon de vous percevoir et de percevoir le monde qui vous entoure.

FORMAT 15 X 23 CM, 304 PAGES, ISBN 2-89092-208-1
AUTEURS: MARK VICTOR HANSEN ET JACK CANFIELD

Un 3e bol de Bouillon de poulet pour l'âme

Pour satisfaire leur vaste public affamé d'autres bonnes nouvelles du même genre, Jack Canfield et Mark Victor Hansen se sont remis au travail et ont concocté un autre *bouillon* d'histoires, véritables témoignages de vie, pour réchauffer votre cœur, apaiser votre âme et nourrir vos émotions.

FORMAT 15 X 23 CM, 304 PAGES, ISBN 2-89092-217-0
AUTEURS: MARK VICTOR HANSEN ET JACK CANFIELD

Bouillon de poulet pour l'âme de la femme

Ces magnifiques histoires honorent la force et révèlent la beauté de l'esprit des femmes. Vous trouverez inspiration, joie et réconfort dans les messages particuliers sur : l'amour, vivre vos rêves, savoir vaincre les obstacles, le mariage, la maternité, le vieillissement, l'action d'engendrer, l'attitude, l'estime de soi et la sagesse. Peu importe que vous soyez une femme de carrière ou une maman à la maison, une adolescente ou une aînée, une jeune femme débutante ou une femme du monde, ce merveilleux livre sera un compagnon précieux pour des années à venir.

FORMAT 15 X 23 CM, 288 PAGES, ISBN 2-89092-218-9
AUTEURS : JACK CANFIELD, MARK VICTOR HANSEN,
JENNIFER READ HAWTHORNE ET MARCI SHIMOFF

Bouillon de poulet pour l'âme d'une mère

Bouillon de poulet pour l'âme d'une mère rend hommage à la maternité — l'appellation universelle qui exige des talents de maître médiatrice, de guide, de cuisinière et de conseillère. Ces histoires qui réchauffent le cœur célèbrent des moments précis de la maternité, allant de triomphants à insignifiants: en commençant par donner la vie jusqu'à développer l'intuition d'une mère; en faisant des souvenirs particuliers et en conservant la vie familiale jusqu'à lâcher prise. Que vous soyez une future mère, une grand-mère ou que vous ayez apprécié l'influence maternelle dans votre vie, vous éclaterez de rire, vous pleurerez et réfléchirez sur les joies et les difficultés d'être une maman.

FORMAT 15 X 23 CM, 312 PAGES, ISBN 2-89092-232-4
AUTEURS : JACK CANFIELD, MARK VICTOR HANSEN,
JENNIFER READ HAWTHORNE ET MARCI SHIMOFF

Bouillon de poulet pour l'âme des ados

L'adolescence est une des périodes les plus difficiles de ta vie, mais elle est également une des plus excitantes.

Voici un livre pour toi! Un guide de survie qui t'aidera à traverser avec succès ces années trépidantes sans perdre ton sens de l'humour ni ton équilibre. Il te propose des histoires sur de multiples sujets: l'amitié et l'amour, l'importance de croire en l'avenir, le respect de soi et des autres, la façon de surmonter des épreuves comme la mort, le suicide et les chagrins d'amour.

Ce livre sera pour toi comme un ami qui comprend ce que tu ressens, sur qui tu peux compter et qui t'encourage dans les moments difficiles.

FORMAT 15 X 23 CM, 288 PAGES, ISBN 2-89092-230-8
AUTEURS: JACK CANFIELD, MARK VICTOR HANSEN
ET KIMBERLY KIRBERGER

Bouillon de poulet pour l'âme des chrétiens

Des thèmes d'amour, de pardon, de foi, d'espoir et de charité ont soutenu les esprits et réchauffé les cœurs de millions de lecteurs.

Dans ce livre exceptionnel destiné particulièrement aux chrétiens, vous trouverez des histoires qui stimuleront votre foi et accroîtront votre sensibilisation à la mise en pratique des valeurs chrétiennes dans votre vie quotidienne — tant à la maison qu'au travail et dans la collectivité. Ces récits puissants vous rappelleront que vous n'êtes jamais seul ou sans espoir, si difficile et si pénible que soit votre situation.

FORMAT 15 X 23 CM, 288 PAGES, ISBN 2-89092-235-9
AUTEURS: JACK CANFIELD, MARK VICTOR HANSEN
PATTY AUBERY ET NANCY MITCHELL

Série Poche

Un concentré de Bouillon de poulet pour l'âme

Petit recueil des histoires favorites des auteurs

Voici une édition spéciale des histoires favorites des auteurs des trois premiers volumes de la série, soit *Un 1er bol de Bouillon de poulet pour l'âme, Un 2e bol de Bouillon de poulet pour l'âme* et *Un 3e bol de Bouillon de poulet pour l'âme.* Cette anthologie revigorante sera en tout temps une source de réconfort, tant pour ceux et celles qui découvrent le pouvoir apaisant de *Bouillon de poulet* pour la première fois que pour les initié(e)s de la série. Une source d'inspiration et de croissance personnelle.

FORMAT 11 X 18 CM, 216 PAGES, ISBN 2-89092-251-0
AUTEURS : JACK CANFIELD, MARK VICTOR HANSEN
ET PATTY HANSEN

Une tasse de Bouillon de poulet pour l'âme

Histoires inédites

Parfois, nous avons uniquement le temps de prendre une tasse de bouillon. C'est pourquoi les auteurs vous offrent ce recueil de nouvelles histoires à savourer en portions individuelles. Cet ouvrage est le cadeau idéal à offrir aux gens d'affaires pressés, les jeunes en quête d'inspiration ou tous ceux et celles qui ont besoin d'un « petit remontant » l'apprécieront. Savourez-le et partagez-en les bienfaits avec vos proches.

FORMAT 11 X 18 CM, 192 PAGES, ISBN 2-89092-245-6
AUTEURS : JACK CANFIELD, MARK VICTOR HANSEN
ET BARRY SPILCHUK